CENDRINE SENTERRE

Pour Girafes seulement

CENDRINE SENTERRE

Pour Girafes seulement

CATHERINE DESMARAIS

ÉDITIONS
MICHEL
QUINTIN

Catalogage avant publication de Bibliothèque et Archives
nationales du Québec et Bibliothèque et Archives Canada

Desmarais, Catherine

  Cendrine Senterre

  Sommaire : 1. Pour girafes seulement.
  Pour les jeunes de 13 ans et plus.

  ISBN 978-2-89435-766-8 (vol. 1)

  I.Titre.

PS8607.E763C46 2015   jC843'.6   C2014-942523-6
PS9607.E763C46 2015

Illustration de la page couverture : Annabelle Métayer
Conception de la couverture et infographie :
      Marie-Ève Boisvert, Éditions Michel Quintin

Le Conseil des Arts du Canada / The Canada Council for the Arts   SODEC Québec   Patrimoine canadien   Canadian Heritage

La publication de cet ouvrage a été réalisée grâce au soutien financier
du Conseil des Arts du Canada et de la SODEC.

De plus, les Éditions Michel Quintin reconnaissent l'aide financière
du gouvernement du Canada par l'entremise du Fonds du livre du
Canada pour leurs activités d'édition.

Gouvernement du Québec – Programme de crédit d'impôt
pour l'édition de livres – Gestion SODEC

ISBN 978-2-89435-766-8

Dépôt légal – Bibliothèque et Archives nationales du Québec, 2015
Dépôt légal – Bibliothèque et Archives Canada, 2015

© Copyright 2015

Éditions Michel Quintin
4770, rue Foster, Waterloo (Québec)
Canada J0E 2N0
Tél. : 450 539-3774
Téléc. : 450 539-4905
editionsmichelquintin.ca

15 - A G M V - 1

Imprimé au Canada

À nous

PROLOGUE

J'ai toujours pensé que la règle, c'était que le divorce doit survenir quand les enfants sont encore au primaire – ou au biberon, dans le cas de Camille. J'ai aussi toujours cru que les divorces sont précédés de séances intensives de noms criés à tue-tête et d'objets lancés contre les murs. Mais non. C'est juste que, à quinze ans, je pensais m'en être sauvée.

Mais ce qui devait arriver arriva. Un jour, mes parents en ont eu assez de ne pas pouvoir participer activement aux discussions avec leurs couples d'amis séparés puis remis en couple. Mon père n'avait rien à dire au sujet des pensions alimentaires trop élevées et ma mère se sentait mise à l'écart de l'énumération interminable des meubles obtenus par d'autres dans le partage des biens. Mes parents peuvent bien me reprocher de m'habiller exactement comme mes amies: ils sont les premiers à avoir fait comme tout le monde. Mais, même si je vis dans un univers où faire comme tout le monde est la seule façon de faire, je n'avais pas vu venir la séparation de mes parents.

En effet, ils ne se chicanaient jamais, sauf à cause des cigarettes de ma mère et du budget. Bon... peut-être qu'ils se chicanaient un peu, mais ils ne se criaient jamais après. Avec le recul, je réalise qu'ils ne s'embrassaient jamais non plus. Et, Dieu merci, je ne les ai jamais entendus faire l'amour. Mais, moi, je pensais que c'était normal, de cesser toute activité amoureuse après le mariage. «— Jurez-vous d'aimer votre femme, de la respecter et de la protéger, de lui rester fidèle et d'entrer avec elle dans une routine abrutissante jusqu'à ce que l'ennui vous sépare? — Oui, je le jure. — Vous pouvez embrasser la mariée. Pour la dernière fois!»

En tout cas, c'est ce que je croyais en voyant mon père concentré sur le baseball pendant des heures le dimanche après-midi, tandis que ma mère regardait sécher son vernis trop rouge en parlant au téléphone avec ses copines esthéticiennes. Ennuyeux. C'est le seul mot que je trouve pour décrire mes parents.

Un soir, je suis rentrée un peu après l'heure de mon couvre-feu, comme d'habitude. Mes parents sont très, très drôles: ils m'imposent un couvre-feu, mais ils ne vérifient jamais si je le respecte, puisque tous les deux sont couchés depuis neuf heures. Ennuyeux, disais-je? Mais, l'important, c'est qu'ils aient l'impression d'avoir fait leur travail de parent. Tu parles!

Je ne m'étais fait prendre qu'une seule fois jusqu'à ce soir-là, ce qui m'avait valu une semaine sans Internet. Et, non, je ne peux pas accéder à Internet par mon cellulaire, puisque je n'en ai pas. Mes parents n'ont pas beaucoup d'argent. Je vais dans une école privée pour les aider à avoir l'air à l'aise devant leurs amis, mais nous mangeons des patates et de la viande hachée dans de la sauce brune trois fois par semaine.

Un soir, donc, je suis rentrée un peu trop tard. Bon… beaucoup trop tard, je l'avoue. Et j'ai entendu du bruit. Pendant une microseconde, je me suis dit que c'était mon frère. Mais je me suis vite rappelé que c'était impossible, puisqu'il vit maintenant à Montréal avec son soi-disant coloc. Je dois vous avertir que je suis un brin paranoïaque. Aussi, convaincue qu'il s'agissait d'un meurtrier, j'ai ouvert un tiroir et empoigné le premier couteau qui m'est tombé sous la main. Après avoir difficilement mis un frein à mes palpitations cardiaques, j'ai réussi à me diriger vers le salon. C'est là que j'ai vu mes parents. Ils faisaient des boîtes… en riant. J'avais oublié qu'ils avaient la capacité motrice et émotionnelle de se livrer à cette activité. Je parle du rire, pas des boîtes.

— Allo! Vous faites quoi, là? ai-je dit en tenant toujours mon couteau à rôti électrique.

Vous aurez compris que c'est le couteau qui était électrique, pas le rôti.

— Ah, bonsoir, ma chouette! s'est exclamée ma mère.

Voulez-vous bien me dire comment le mot «chouette», qui désigne un gros oiseau ayant l'air perpétuellement en maudit, est un mot d'amour?

— Tu viens nous aider à faire des boîtes? Hé! je garde le couteau à rôti! a-t-elle soudain lancé à mon père sur le ton de la victoire.

— Ben, là! c'est jamais toi qui fais le rôti, c'est moi! a objecté mon père.

— C'est toujours moi qui le découpe!

— Tu vas avoir quoi à découper, si je suis pas là pour te faire un rôti, hein?

Pendant un instant, j'ai été tellement heureuse de ne pas me faire reprocher l'heure de mon arrivée que je me suis sentie prête à faire un nombre incalculable de boîtes. Mais je me suis vite ressaisie.

— Pourquoi vous faites des boîtes? Et pourquoi tu seras pas là pour faire du rôti, papa? On déménage, c'est ça? Je veux pas changer d'école, c'est compris? Ah non! On déménage dans une autre ville, c'est ça! C'est ça?

— Calme-toi, ma chouette, pour l'amour! m'a rassurée joyeusement ma mère, étrangement encore maquillée à cette heure-là. Inquiète-toi pas, les appartements sont tout près d'ici!

— Les appartements?

— Ben oui… les appartements. Un pour ta mère et un pour moi, m'a annoncé mon père sur un ton de cout'donc-t'es-donc-ben-pas-vite-toi.

C'est comme ça que je suis devenue la seule fille que je connais – et encore, je ne crois pas que je me connaisse tant que ça… – à avoir des parents divorcés qui habitent le même triplex. Une idée de ma mère.

— Notre divorce n'aura pas de répercussions dommageables pour ton éducation, qu'elle a dit.

Depuis qu'ils sont séparés, ils s'entendent mieux qu'avant. C'est tout juste s'ils ne proposent pas d'emménager ensemble avec leur conjoint respectif. Parce que, évidemment, ça n'a pas pris trois mois qu'ils avaient tous les deux quelqu'un. Et vous voulez savoir la meilleure ? Mon père sort avec une collègue de ma mère ! Au lieu d'avoir une esthéticienne dans ma vie, j'en ai deux ! Déjà que ma mère me propose à peu près quinze fois par année de me faire épiler les sourcils ! Je ne peux pas croire que je risque de recevoir de telles propositions masochistes en double. Si j'avais une petite moustache, je ne dis pas, mais là on parle de deux ou trois poils rebelles… ou bien de vingt-deux ou vingt-trois. Presque rien, quoi !

Mais je voulais en venir au chum de ma mère. Depuis mars, je vis avec quatre adultes. Pas besoin d'être bon en math pour comprendre qu'il y a un gros déséquilibre. Il y a mon père, vendeur d'assurances – enfin, c'est son titre, mais il n'en vend pas beaucoup ; ma mère et ma belle-mère, esthéticiennes et amies ! et le chum de ma mère, policier. Oui oui, vous avez bien lu : po-li-ci-er.

Il sera donc question ici d'une enquête policière. Non. Enfin, on en arrivera à une enquête policière, mais seulement après que le plus beau gars de l'école se sera enfin intéressé à moi.

Sans blague ! Si vous vous attendez à ce genre d'intrigue, vous pouvez tout de suite abandonner votre lecture et aller vous installer devant *Occupation double* avec un gros bol de chips. De toute façon, je ne vois pas comment le plus beau gars de l'école pourrait s'intéresser à moi, vu que je vais dans une école de filles. Hé oui! ça existe encore. Et vous savez quoi? C'est moi qui l'ai choisie. Ça, au moins, ça fait de moi quelqu'un d'unique. Je suis bien la seule à ne pas avoir écopé d'une inscription à l'école Sainte-Marguerite comme punition pour avoir fumé en cachette en sixième année.

Bon. Alors, pas d'histoire d'amour, ou peut-être un peu, et pas d'histoire de fille pas populaire qui devient populaire. Ou bien de fille pas bonne au volley qui devient bonne au volley. Ou encore de rivalité entre une pas-fine qui porte un lourd secret qui devient amie avec une trop-fine qui va rendre la pas-fine plus fine pendant que la trop-fine devient juste assez moins fine pour arrêter de se faire avoir par d'autres pas-fins. Non. C'est une histoire de… Mais si je commençais?

1

DES SAUTERELLES ET DES GIRAFES

Je me réveille avec des fragments de rêve collés à mes gros sourcils… Bon, OK, ils sont peut-être un peu gros, mes sourcils, mais j'ai peur de la pince, c'est plus fort que moi.

Mes inventions nocturnes me collent toujours toute la journée à la peau, car elles sont une partie très importante de ma réalité, trop, selon Florence. Plusieurs personnes, dont mes parents, bien sûr, disent sans rire des trucs d'une absurdité incroyable comme :

— À quoi j'ai rêvé ? Mais je ne rêve pas, moi, ma chouette, je dors !

C'est impossible, le cerveau de tout le monde s'active durant le sommeil. Ce qu'ils veulent dire, c'est plutôt : « Mais je ne m'en souviens pas, moi, ma chouette, je suis beaucoup trop occupé à penser à mes REER!»

Le rêve est un exutoire de l'inconscient, selon Freud, celui qui a inventé la psychanalyse. J'ai lu ça dans un livre que mon frère avait à lire en philo l'an dernier. Pourquoi j'ai lu un livre de cégep de mon frère? Parce que, premièrement, il traînait sur la table et que je lis tout ce qui traîne. Deuxièmement, comme je viens de le dire – il faut suivre, hein? –, les rêves prennent tellement de place dans ma vie qu'il est normal que je tente de les comprendre. Donc, un exutoire de l'inconscient. Autrement dit, c'est la façon que notre cerveau a trouvée pour évacuer les désirs, les peurs et les pensées qui sont trop choquants pour notre moi conscient. Je sais, je sais, c'est peut-être un peu complexe au premier abord, mais ce n'est pas si difficile à comprendre et, quand on sait ça, on peut comprendre un paquet de clowns qui vivent autour de nous. Sérieusement, je considère ceux qui disent ne pas rêver comme très, très ennuyeux.

En plus, si on considère que Freud a raison, le cerveau de ces personnes doit pulluler de désirs inavoués et de pulsions malsaines. J'aime mieux rêver et passer la moitié de la journée la tête ailleurs, à essayer de garder avec moi les bribes d'histoires que mon inconscient a pondues. Si je ne les avais pas, ma vie serait triste à mourir. Parce qu'après avoir franchi l'étape de s'en souvenir, il y a celle d'atteindre la conscience de rêver. Mais ce n'est pas le plus intéressant. Le niveau suivant, celui que je m'entraîne à atteindre, c'est la maîtrise des songes. Certains grimpent dans la hiérarchie virtuelle des samouraïs au PlayStation; moi, je gravis les échelons invisibles du monde onirique.

C'est là que ma double vie commence. Le jour, j'ai souvent l'impression d'être une spectatrice qui a eu des billets gratuits pour une représentation qui ne l'intéresse pas tant que ça et qui commence à cogner des clous avant l'entracte. Mais, la nuit, je m'emploie à changer le cours du spectacle. Et plus le nombre de représentations auxquelles j'assiste est grand, plus j'ai de l'emprise sur le scénario. Et plus j'ai de choses à raconter le jour. Bon, je tape un peu sur les nerfs de tout le monde avec mon maudit spectacle, mais, quand même, j'arrive à susciter l'attention le midi à la cafétéria quand personne n'a d'histoire d'amour impossible à raconter.

Ce matin, donc, en me rendant à l'école, je pense aux sauterelles géantes qui flottaient dans la piscine hors terre de mon ancienne maison dans mon rêve de la nuit passée. Elles étaient toutes molles et gluantes et elles s'agglutinaient autour de moi. Alors que j'étais horrifiée, mon père, lui, se faisait bronzer et me regardait me baigner avec un sourire d'imbécile heureux, sans rien remarquer. J'essaie de comprendre ce que les sauterelles signifient, ce contre quoi elles me mettent en garde, mon but ultime étant d'en arriver à faire des rêves prémonitoires. Je sais. De considérer que sa vie est plus excitante à cause du souvenir d'insectes géants évoqués durant la nuit, c'est un peu pathétique. C'est pourquoi, ce matin, j'ai la folle envie qu'il se passe quelque chose d'excitant.

Parfois, je regrette presque d'avoir choisi une école non mixte. Je l'ai probablement fait parce que je pressentais ce que j'ai appris un peu plus tard : les relations entre filles sont très difficiles. S'il y avait des histoires de gars à travers ça, la vie serait un enfer. Ma vie serait un enfer. Je ne serais tout simplement pas capable de survivre. Je ne suis pas une guerrière. J'ai tellement peur des conflits que je serais prête à faire une retenue pour quelque chose que je n'ai pas fait ; ce n'est pas peu dire. Mais, bon, ça ne risque pas d'arriver. Je suis une étudiante modèle. Je ne le suis pas par vocation, plutôt par lâcheté. J'ai trop peur d'affronter mes sauterelles intérieures et de mettre mes culottes, ou plutôt ma jupe à carreaux aux genoux comme l'exige mon école. Je suis comme ça.

Je passe la porte de l'établissement en m'imaginant toutes sortes de scénarios farfelus, quand Jessifée arrive. Jessifée ! tu parles d'un nom ! On dirait un croisement entre un colley et une princesse. En plus, il est important de noter que ça se prononce, selon elle, Djes-si-fée. Oups ! Je me suis promis d'éviter le commérage, même si c'est le sport officiel de mon école de filles, avec le volleyball et l'anorexie. Mais il est difficile de ne faire aucun commentaire sur Jessifée. Vous allez voir, elle est grave.

— On dirait vraiment qu'il se passe quelque chose, me dit-elle en me regardant à travers son mascara en mottons avec un air tragique.

Il y a quelqu'un qui l'a invitée dans ma tête sans me le dire ? Pourquoi, un matin sur deux, quand je passe la porte de l'école, c'est Jessifée qui m'accueille ? Au moins, elle est divertissante. Chaque matin, elle a un truc qui cloche. Aujourd'hui, c'est la couleur de son rouge à lèvres. Saumon. Juste le nom de la couleur me lève le cœur.

— J'ai un nouveau rouge à lèvres. Saumon du Pacifique. C'est le nom de sa couleur. Ça fait exotique, hein ? Le Pacifique… ça me rappelle tellement de souvenirs… le Nouveau-Brunswick, c'est magnifique ! Je sais, je sais, je suis tellement chanceuse de pouvoir aller dans d'autres pays pour voir de belles affaires comme le Pacifique…

M'abstenir de penser. Maintenant.

— Pourquoi tu me regardes comme ça ? Tu aimes pas mon rouge à lèvres ?

— Non non, c'est juste que, le Nouveau-Brunswick, c'est pas dans un autre pays, pis que, le Pacifique, c'est pas du bord des Maritimes, c'est de l'autre bord.

— De l'autre bord de quoi ?

— Ben… du Canada !

Elle me regarde avec un air aussi profond que l'œil de l'animal dont son affreux rouge à lèvres tient son nom.

— Pis ? C'est quoi, le rapport ?

— Ben… c'est juste que t'es pas obligée d'aller dans d'autres pays pour voir le Pacifique, t'as juste à aller en Colombie-Britannique. C'est tout près, juste cinq mille kilomètres.

— La Colombie, c'est pas de là que vient la majorité de la coke qu'on a ici ?

— Euh… je sais pas, moi. De toute façon, je voulais pas parler de la Colombie, mais de…

Son regard devient de plus en plus poissonneux. Alors, je capitule.

— Laisse faire…

— Pis?

— Pis quoi?

— Mon rouge à lèvres?

Je n'en ai rien à foutre, de son rouge à lèvres. Voulez-vous bien me dire pourquoi elle met du rouge à lèvres dans une école de filles? Ah oui, j'oubliais! Les professeurs mâles! Je m'apprête à lui donner une réponse, mais je me retiens. Je dois faire une drôle de tête, puisque, fidèle à son habitude, Jessifée s'énerve.

— C'est le bouton que j'ai sur le menton que tu regardes? À ta place, je me regarderais dans le miroir avant de juger les autres.

Je rêve de sauterelles géantes, de belles, grandes, silencieuses sauterelles géantes, d'autant plus que, quand Jessifée s'énerve, sa voix nasillarde devient encore plus haut perchée et tout simplement insupportable.

— Je te regarde bizarre parce que t'as commencé à dire quelque chose que t'as pas fini, dis-je prudemment, de peur de déclencher une crise d'hystérie.

— Quoi?

— T'as dit: «On dirait qu'il se passe quelque chose.» Il se passe quoi, au juste?

— Ah oui. Il se passe que les filles de volley sont toutes enfermées dans le vestiaire.

Grosse nouvelle!

— Ah ! Bonne journée, là !

— Non, attends. C'est pas comme d'habitude. On les entend pas parler ni rire. Ni vomir, d'ailleurs…

Elle relève le menton, plisse les yeux et affecte un air mystérieux complètement raté.

— Je sais pas ce qui se passe. C'est comme si… y a comme un genre de… comme genre… Dans le fond, tu sais, quand genre style on dirait qu'il y a quelque chose qui va arriver.

— Y a une drôle d'ambiance ? Une atmosphère étrange ? Tu as un mauvais pressentiment ?

— Hé ! toi pis tes grands mots !

C'est « atmosphère » ou « pressentiment » qu'elle ne comprend pas ?

— Je le sais pas, moi, ce qui se passe ! reprend-elle. C'est tes amies, les filles de volley, qu'elle me répond d'un ton accusateur avant de disparaître aussi rapidement qu'elle est apparue.

Bien oui ! Mes amies. Ma meilleure amie joue au volleyball, mais les autres, je ne les connais pas tant que ça. En fait, je les connais parce que Florence m'en parle tout le temps. Je connais leur moyenne en volley, mais je connais aussi leurs histoires d'amour, leurs phobies, leurs tics nerveux, la date de leurs premières menstruations et leur régime alimentaire. Ou plutôt leur non-régime alimentaire. Je ne sais pas pourquoi, mais, en une seule année, il y a eu une hausse considérable du nombre d'anorexiques à mon école, surtout au sein de l'équipe de volleyball. Une joueuse s'est dit qu'elle ferait sans doute beaucoup plus de points si elle perdait dix livres, et puis une autre s'est dit la même chose, mais en doublant la mise. Au bout d'un moment, la moitié de l'équipe avait développé une obsession pour le pèse-personne. Enfin, comme les filles de volleyball exercent une emprise considérable sur l'école, d'autres filles, tout aussi minces, en passant, se sont dit que, si les filles de volley avaient du poids à perdre, elles en avaient elles aussi. Et tout a dégénéré. À croire que c'est devenu une maladie contagieuse !

Les joueuses ont construit leur empire autour du vestiaire. C'est leur château fort. Du coup, les toilettes des vestiaires leur sont réservées. Elles ont fini par s'y sentir à l'aise, il faut croire. Elles ne se cachent même plus les unes des autres pour se livrer à leur maladie mentale. Parce qu'il faut être malade mental pour se faire vomir. Chaque fois que ça m'arrive, comme à Noël quand j'ai eu une gastro, parce que c'est toujours à Noël qu'on attrape une gastro, c'est la fin du monde. Je pleure et j'exige que ma mère me flatte le dos et me promette du bouillon de poulet. Mais, bon. Il paraît que je ne comprends rien parce que, moi, je suis maigre de nature. Pas mince, maigre. Je mange du Nutella à la cuillère pour engraisser. Ça, il paraît que c'est une chose que je ne peux absolument pas dire près du vestiaire des Girafes.

Ce n'est pas moi qui les nomme ainsi, c'est vraiment le nom de l'équipe de volleyball de l'école : les Girafes de Sainte-Marguerite. Elles portent bien leur nom, surtout à mes yeux de naine. Je mesure à peine cinq pieds.

À ce moment, mes cinq pieds et mes mains pleines de pouces se font bousculer par la porte du vestiaire qui s'ouvre à la volée. C'est tout d'abord Karine, du haut de ses cinq pieds dix pouces et de ses trente-deux livres, qui sort en furie sans me consentir un regard ni même formuler une petite excuse de rien du tout. Elle est suivie de quatre de ses amies identiques, dont les noms le sont tout autant : Alexandra, Alexane, Ariane et Marianne. Deux d'entre elles essuient les larmes qui coulent le long de leur visage décharné. Je ne sais pas du tout où me mettre. Je ne sais jamais où me mettre. Je ne suis pas si encombrante, pourtant !

J'envisage sérieusement la poubelle lorsqu'une main amicale se pose sur mon épaule. C'est Florence. Merde. Elle ne sourit pas. Florence sourit toujours. Lorsqu'elle est fâchée, je me sens encore plus petite que je le suis. Poubelle, où es-tu ? J'ouvre la bouche pour tenter une question, mais me ravise. J'ai trop peur de dire une connerie. C'est Florence qui parle la première, comme toujours. Elle sait toujours quoi dire, Florence.

— Laisse faire, Cendre, c'est des histoires de Girafes.

Si ma meilleure amie m'appelle comme ça, ce n'est pas – enfin, je l'espère – parce que je sens le vieux cendrier à force de vivre avec une mère qui fume comme une locomotive du début du siècle dernier. C'est plutôt parce que je m'appelle Cendrine. Pas Sandrine, Cendrine. Pourquoi Cendrine et non Sandrine ? C'est ce que je me demande chaque fois que je dois épeler mon nom.

— Pourquoi est-ce qu'Alexandra et Alexane pleuraient ? que je demande prudemment.

— Voyons, Cendrine, arrête d'insinuer que les filles de volley se ressemblent tellement toutes qu'on n'arrive même pas à les différencier. C'est gossant !

Jessifée a raison, il se passe quelque chose de grave. Florence n'est jamais à pic comme ça. À moins que…

— Camille fait demander si tu as un tampon pour elle, dis-je innocemment.

— Non, je suis pas dans ma semaine. Pis, non, je suis pas SPM ! C'est juste que tu le sais, que les deux grandes brunes avec des mèches rouges, c'est Ariane et Marianne.

— Euh… vous vous êtes toutes fait faire des mèches rouges, la semaine passée.

— Ah ! Tu le sais, ce que je veux dire !

Non, justement, mais, bon, je ne m'obstine pas. Quand j'ai l'impression de me faire chicaner, surtout par Florence, tout ce que je sais faire, c'est ramper.

— Qu'est-ce qu'elles ont ?

J'ai dit ça d'une voix de bébé, une mauvaise habitude que j'ai prise. C'est pathétique !

— Un rendez-vous avec Gargamel.

Je m'apprête à demander des explications quand le reste de l'équipe sort du vestiaire avec la même face d'enterrement. J'entends les mots « expulsion » et « gros chien sale » avant de perdre Florence parmi ses semblables.

Gargamel. C'est quoi, cette histoire bidon ? Je poursuis ma route jusqu'à ma classe, en chassant les images des sauterelles géantes mouillées se collant à ma peau nue. Un jour, j'irai chez le psychologue. Florence n'arrête pas de m'y encourager. En attendant, ça me fait des choses à raconter en arrivant à l'école. Justement, j'aperçois Camille qui gribouille dans son cartable, comme chaque matin avant les cours. Elle boit un immense café. Moi, je n'y ai pas droit, parce que c'est, selon ma mère, une boisson d'adulte. De toute façon, je suis tellement stressée que je n'ose même pas imaginer mon état si j'ingurgitais la quantité de café que Camille boit. Mais elle, c'est différent: si elle ne se livre pas à son vice d'adulte, elle dort sur son livre après quatre minutes de cours. Elle souffre d'hypersomnie: elle a de longues périodes de sommeil extrêmement profond, ce qui fait qu'il faut un bulldozer pour la réveiller le matin. Malgré cela, elle récupère très mal et elle est toujours fatiguée, ce qui fait qu'elle s'endort régulièrement pendant la journée, à n'importe quel moment. Ça peut être très divertissant, puisqu'en plus de ronfler et de baver, elle parle dans son sommeil.

— Tu as vu Florence, ce matin?

— Non, me répond-elle sans lâcher des yeux les girafes qu'elle dessine.

— C'est juste qu'elle est bizarre.

— C'est à cause de Gargamel, me jette-t-elle, détachée.

Gargamel? Encore lui? C'est peut-être un nom de code pour une opération dont je ne suis pas au courant. Un truc super cool dont je suis exclue. Parano, disais-je plus tôt?

— Gargamel? Gargamel comme le méchant dans les schtroumpfs, là?

— Genre.

— Genre ?

— …

— Genre quoi ?

— …

— Camille, je te parle !

— Quoi ?

— Genre quoi ?

— Quoi, genre quoi ?

— C'est quoi, l'histoire de Gargamel ?

— Gargamel, c'est le méchant dans les schtroumpfs, dit-elle le plus sérieusement du monde, sans lâcher son dessin.

— Je le sais, je viens de le dire !

Camille, elle est comme ça. Toujours en décalage. Elle me fait perdre mon sang-froid, parfois, et c'est un euphémisme.

— C'est quoi le rapport avec Gargamel, que j'articule, la mâchoire serrée.

— C'est quoi le rapport ? Cout'donc, tu étais où, toi, cette semaine ? Même moi, je sais c'est qui, Gargamel !

C'est vrai ça ! J'étais où ? Me semble que j'étais ici ? Attendez… Lundi, j'ai manqué l'école à cause des derniers détails concernant ma garde, vu le récent déménagement. Mardi, c'est le jour où j'ai rêvé que l'école s'était transformée en labyrinthe et où Jessifée avait les cheveux gras parce qu'elle avait soi-disant oublié de rincer son revitalisant ! Mercredi, je me suis réveillée en pleurant parce que j'avais rêvé que ma grand-mère se faisait frapper par une voiture et tout le monde avait remarqué que Jessifée essayait de cacher son feu sauvage avec un fond de teint jaune orange. Hier, je me suis fait poursuivre par un clown-loup-garou et Jessifée avait échappé la bouteille de parfum dans son cou. Aujourd'hui, ce sont les sauterelles géantes et le rouge à lèvres saumon. Il me semble bien que j'étais ici, cette semaine.

— Ben, je sais pas, j'étais ici, non ?

Sur ce, le cours commence. Je vais devoir attendre. Comme elle éprouve certaines difficultés scolaires, contrairement à moi, Camille n'est pas du genre à parler pendant les cours, contrairement à moi fois mille.

Le cours de math me semble interminable. Je sais bien qu'un jour j'aurai trente ans et que je ne me souviendrai même plus de ce cours. Mais, vu d'ici, ça me semble impossible. Le temps s'étire tellement que j'ai l'impression qu'il suspend son cours juste avant que la cloche ne sonne. Je regarde autour de moi pour être certaine que je ne suis pas la cible d'un maléfice mystérieux qui aurait propulsé tout le monde sauf moi dans un vortex où le temps passe au ralenti. Mais non, comme d'habitude, les filles prennent des notes, s'écrivent de petits mots et gribouillent des noms de garçons dans leur agenda. Il n'y a que moi qui suis accrochée à la grande aiguille de l'horloge.

En retentissant, l'air de *Toréador, en ga-a-a-arde* me fait sursauter. Je ne l'attendais plus. Si un jour je rencontre la personne qui choisit les mélodies des cloches de fin de cours, je l'amène de force au psychologue avec moi. Je me jette sur Camille, mais trop tard, elle s'est jetée sur le prof avant moi.

Un amas de jupes d'horrible couleur se forme autour de son bureau. C'est le genre de chose qui arrive quand l'objet est de sexe masculin et a un physique potable. Sinon, la salle de classe se vide le temps de dire : « École de filles ! » Camille est à peu près la seule qui ne pose pas de questions bidon en se tortillant une mèche de cheveux – quelle technique de séduction à la con ! Je sais qu'elle est la seule à avoir une vraie question. Je vais devoir aborder l'affaire Gargamel avec quelqu'un d'autre, au risque de passer pour une dinde.

Voilà justement Annabelle, occupée à contempler le vide. En fait, elle fixe l'interphone situé au-dessus de la porte, comme s'il était possible d'y apercevoir le visage de la secrétaire, dont on entend la voix monotone. Je l'approche délicatement, sur mes gardes comme je le suis toujours avec elle. Je n'ai jamais compris Annabelle, même si je l'aime bien. Une semaine, c'est ma meilleure amie et elle insiste pour tout faire avec moi, l'autre, elle ne m'adresse même pas un regard. Et, quand elle est fâchée… il vaut mieux qu'elle ne soit pas fâchée contre vous. Là, elle semble écouter attentivement l'interminable liste de filles demandées au secrétariat ou pire, chez la directrice. Je ne comprends pas pour quelle raison on serait demandée au secrétariat. Ça ne m'est jamais arrivé et je vois encore cela comme un mystère.

— Jessifée Marquis est demandée au secrétariat, répète la voix éteinte de la secrétaire.

Jessifée fait une mine exagérément affolée.

— Ah non ! Je vais rater mon père !

— Non. C'est plutôt ton père qui t'a ratée, dit méchamment Annabelle en ne s'adressant à personne.

Heureusement, la principale intéressée ne l'a pas entendue. Moi, je me bidonne en silence. Annabelle est la personne la plus drôle que je connaisse. Tout le monde veut s'asseoir avec elle le midi, vu qu'elle donne un spectacle d'humour gratuit. De cette façon, personne ne fait de commentaires sur son lunch. Ce qu'elle est intelligente, Annabelle! Comme on dirait que c'est un bon jour pour elle et moi, je la regarde en riant de sa blague. Je m'apprête à lui demander qui c'est, Gargamel, quand je m'aperçois qu'elle me regarde d'un drôle d'air.

— Qu'est-ce qu'il y a? dis-je, presque effrayée.

— Ben, tu réagis pas? me dit Annabelle. Ça fait trois fois que la secrétaire dit que tu es demandée chez la directrice.

Moi? Chez la directrice? Ce doit être une erreur. Mais non, j'entends bien mon nom, moi aussi. Je suis tellement intriguée que j'en oublie ma question primordiale sur Gargamel. Je me dirige vers la redoutable porte rouge derrière laquelle officie la directrice.

— Ça va bien, mademoiselle Senterre? me demande-t-elle de sa voix de petite fille de sept ans.

J'ai beau la croiser presque chaque jour, je ne m'habitue pas, premièrement, à sa voix, mais surtout à son physique particulier. Elle a un je-ne-sais-quoi d'animal, ou peut-être d'extraterrestre. Je crois que c'est à cause de la distance de ses yeux à son menton et de celle entre ses deux yeux. J'ai lu quelque part que les proportions du visage sont très importantes. Sans nous en rendre compte, nous repérons chez le sexe opposé l'individu qui présente les mêmes proportions que nous et nous en tombons amoureux, c'est aussi simple que ça. Comme c'est romantique ! À regarder les photos des six enfants difformes de la directrice, on dirait bien qu'elle a réussi à trouver quelqu'un de son… genre, pour ne pas dire de sa planète. Elle me regarde en silence avec une étrange expression. Il s'agit peut-être d'un sourire.

— Vous savez, mademoiselle Senterre, vu les circonstances, il est difficile d'agir autrement.

Elle insiste sur le mot « circonstances » en me couvant d'un regard complice grave. On dirait qu'elle s'attend à ce que je renchérisse sur son idée, mais je ne sais pas du tout de quoi elle parle.

— Nous avons pris des mesures pour contrer le phénomène, et cela implique des actions concrètes afin d'en arriver à des résultats concrets.

J'ai de bons résultats en français. Pourquoi donc ai-je l'impression qu'elle parle la langue de sa planète ? Je vous jure, on dirait qu'elle parle en italique.

— J'imagine que vous savez pourquoi vous êtes ici, mademoiselle Senterre.

— Franchement, pas du tout. Pour que je n'aie pas l'air niaiseuse, pouvez-vous m'expliquer ce qui se passe ?

— Mais voyons, personne n'a l'air niaiseux, comme vous le dites. Mais je suis un peu surprise de votre… surprise. Notre invité spécial a commencé sa… hum… sa tournée spéciale depuis lundi.

Je la regarde avec des points d'interrogation dans les yeux. Pourquoi ai-je tout à coup l'impression qu'elle va me parler de Gargamel ?

— M. Gabanel m'a demandé de vous convoquer pour une… convocation préliminaire.

Je dois avoir le même air idiot depuis plusieurs secondes, puisque la directrice commence à perdre ses moyens et son beau vocabulaire flou.

— Vous allez donc subir une évaluation. Vos parents seront contactés d'ici peu. Selon son évaluation « sur le terrain » – elle mime des guillemets, anglais s'il vous plaît, avec ses gros doigts –, M. Gabanel vous estime bien en dessous de votre poids santé.

Je n'en crois pas mes oreilles ! C'est donc de ça qu'il s'agit ? De quelles pratiques morbides me soupçonne-t-il ? Moi qui suis complexée à cause de ma stature de petite fille de dix ans, moi qui porte plusieurs couches superposées pour avoir l'air d'avoir un peu de formes, moi qui envie toutes les filles qui ont des hanches, un ventre rond et des seins, quoi ! Le monde est-il si mal fait ? Je trouve la situation si irréelle que je me mets à rire, d'un rire, ma foi, assez idiot.

— Ce n'est pas drôle du tout, mademoiselle Senterre. Nous prenons la situation très, très au sérieux. Et ce n'est pas parce que vous êtes en lice pour le prix Méritas que vous vous en sortirez, soyez-en certaine.

— Mais vous ne comprenez pas ! Je mange du Nutella à la cuillère…

— Raison de plus pour consulter, me coupe-t-elle froidement. Nous ne négligerons pas les problèmes de boulimie non plus.

Elle se tait, surprise d'avoir entendu cet horrible mot sortir de sa propre bouche, comme s'il s'agissait d'un mot vulgaire, ou pire, d'un rot sonore. Après tous ses efforts pour demeurer autour du pot, quel échec ! Elle doit avoir la peur bleue que la position de son école chérie dans le palmarès des meilleures écoles du Québec dégringole aussi vite que la popularité d'une candidate d'*Occupation double* qui aurait été prise à se fouiller dans le nez par une caméra dissimulée dans un placard à balai. Il faut comprendre sa déception. Pauvre, pauvre petite directrice ! Mais surtout, pauvre moi ! Jamais je n'aurais cru un jour me retrouver dans le même pétrin que les Girafes. Je sens que ça va mal tourner. La prochaine fois que j'espérerai qu'il se passe quelque chose, je me contenterai de mes sauterelles géantes.

2

UN POULET ET UN CANICHE

VENDREDI SOIR 2 MAI

Je rentre à la maison en jetant mon sac à dos par terre dans l'entrée comme d'habitude. À cette heure-là, ordinairement, ma mère est rentrée du boulot et elle fume tranquillement une cigarette en feuilletant une revue qui raconte comment une ancienne vedette dont tout le monde se fout a perdu trois livres et demie lors d'un séjour dans un Club Med où elle accompagnait, pour relancer sa carrière, les gagnants du concours d'un magasin de meubles bien connu. Mais, là, elle n'est pas là. Depuis que nous avons emménagé dans cet appartement, elle change ses habitudes. En fait, c'est plutôt à cause de son chum.

Tout à coup, je suis prise d'un doute insoutenable. Un détail m'a accrochée, un détail en forme de cendrier. Je parcours l'appartement à toute vitesse et réalise qu'il s'agit bien de ce que je craignais lorsque ma mère entre. Je la regarde avec un air ahuri. Elle me regarde fièrement.

— J'ai une bonne nouvelle à t'annoncer !

Je fais semblant que je ne sais pas. Faites qu'elle ne se souvienne pas ! Faites qu'elle ne se souvienne pas ! Faites qu'elle ne se souvienne pas !

— Quoi ? que je demande, comme si de rien n'était.

— J'ai arrêté de fumer !

Et vlan ! Je pense que, depuis que j'ai appris à écrire, c'est ce que je demande à ma mère dans ses cartes d'anniversaire. Je ne sais pas combien de fois j'ai tenté de lui faire du chantage émotif en lui disant que je l'aime tellement que je mourrais si elle était emportée par un cancer du poumon. Et puis, un jour, un policier arrive avec un gros bouquet de fleurs laides qui ne sent même pas bon et elle arrête de fumer comme ça. Paf ! J'aime me sentir si importante… Mais faites qu'elle ne se souvienne pas !

— Tu sais ce que ça veut dire ?

Merde. Elle se souvient.

— Non… Quoi ?

J'avais fait cette promesse en pensant vraiment qu'elle n'arrêterait jamais de fumer.

— Je te fais ça ici ou à la clinique ?

— Je veux pas me faire épiler les sourcils. Me semble que c'est clair !

Je me sauve chez mon père, c'est-à-dire que j'ouvre la porte, que je descends quinze marches et que j'ouvre une autre porte. Même division des pièces, même décor. Ma mère a insisté pour décorer l'appartement de mon père sous prétexte qu'il n'a pas de goût, ce qui est vrai. Mais il en a plus que ma mère. Mon père fait de la sauce à spaghettis avec son éternel air absent d'enthousiaste ou son air enthousiaste d'absent, c'est selon, pendant que sa blonde tourne autour de lui comme un caniche trop excité qui s'apprête à faire pipi par terre.

— J'ai une bonne nouvelle à t'annoncer! chantonne mon père.

C'est une blague? Ils ne vont tout de même pas me proposer de me tenir la main pendant que ma mère me torture? C'est un complot. Où que j'aille, il y aura toujours une esthéticienne pour me traquer.

— Je sais, maman a arrêté de fumer. Pis non, Nancy, je veux pas me faire épiler les sourcils, me semble que j'en ai déjà parlé, de ça.

— Rapport! s'exclame-t-elle, déjà sur la défensive.

Ce que je ne vous ai pas dit, c'est que Nancy a à peu près le même vocabulaire que Jessifée. Et presque le même âge, d'ailleurs, c'est-à-dire mon âge. J'exagère à peine.

— Quoi? s'insurge mon père. Je le lui ai demandé pendant vingt ans et c'est là qu'elle le fait?

— C'est quoi, là, chouchou? Tu es jaloux? s'offusque le caniche.

— Tu allais m'annoncer une bonne nouvelle, dis-je en souriant exagérément, afin d'éviter un incident diplomatique.

Il retrouve en un instant son énergie de golden retriever hyperactif.

— Mamie a loué l'appartement au sous-sol.

Ça, c'est une vraie bonne nouvelle. Soudain, le silence se fait entre mon père et moi, au grand désarroi de Nancy.

Je pointe mon index droit vers le plat de ma main gauche.

— *Quand?*

Mon père a un geste de sa main droite qui part de son menton.

— *Demain.*

Ainsi, dès demain, un havre de paix me sera ouvert au sous-sol.

Ma grand-mère est sourde et presque muette. Elle a été ma gardienne à temps plein jusqu'à ce que j'entre à la maternelle. Du coup, j'ai appris le LSQ, le langage des signes québécois. Je ne connais pas un grand nombre de mots et de formules, juste assez pour me débrouiller. Pour les trucs plus compliqués, mamie lit très bien sur les lèvres. Mon père et moi, on fait ça, parfois. Comme les gens bilingues qui passent d'une langue à l'autre sans trop s'en rendre compte, nous passons du français parlé au langage des signes. J'aime bien communiquer dans le silence, même si toutes mes amies vous diront que ça ne me ressemble pas. Je crois que, même moi, j'ai parfois besoin d'une pause dans mon babillage incessant. De parler sans arrêt, je tiens ça de mes deux parents. Ma mère le fait à longueur de journée en manu-curant ses clientes, ou pire, en épilant leurs aines, alors que mon père, eh bien, il jase tellement avec ses clients qu'il finit par les inviter à souper au lieu de leur vendre une assurance. Moi, bien, moi, je raconte mes rêves, vous le savez déjà.

Mais personne n'a entendu mon rêve de sauterelles. Pendant un instant, j'envisage de le raconter à Nancy, mais, à voir son air d'adolescente frustrée qui ne connaît pas le langage des signes, je décide de laisser faire. De toute façon, mes sauterelles commencent déjà à s'estomper et, dans quelques heures, de nouvelles images prendront leur place.

Je fais un immense sourire à mon père. Il sait à quel point j'aime ma grand-mère. Déjà, petite, quand mes parents me tapaient trop sur les nerfs, je demandais à aller passer quelques jours chez mamie. Là, ce sera encore plus facile.

— On mange des spaghettis ?

— Nous, oui, mais toi, je sais pas. T'es chez ta mère, cette semaine.

Ah oui, j'oubliais déjà. Chez ma mère qui ne fume plus. Au moins, mes vêtements vont arrêter de sentir la cigarette. Mais je vais tenir mon bout avec mes sourcils.

Après une petite heure chez mon père, je remonte les quinze marches et rouvre la porte. Une odeur de sauce à spaghettis parvient à mes narines. Jean-Maurice, le chum de ma mère, est debout avec un tablier mal ajusté, devant un chaudron de sauce, un air béat sur ses traits. Je commence déjà à en avoir assez, de voir double. Alors, je recommence.

— On mange des sourcils… euh… des spaghettis ?

— Oui, me répond avec enthousiasme mon nouveau beau-père. Tu vas voir, c'est la meilleure sauce que tu auras jamais mangée !

J'ai envie de répondre que ça m'étonnerait, étant donné que mon père fait la meilleure, mais je ne vais pas commencer ce petit jeu ; je sais que ça pourrait aller loin…

— ⋆ —

Assise à table, je joue dans mes spaghettis en pensant à mon rendez-vous avec Gargamel. Quand j'ai raconté ça à l'heure du dîner, Florence m'a regardée comme si j'étais la dernière des connes.

— C'était trop évident que t'allais te faire *câller*, toi aussi, m'a-t-elle dit avec un air supérieur de fille qui ne se fera jamais *câller*.

Évidemment, Florence, c'est l'équilibre même. Pendant que j'argumentais avec elle sur la pertinence de mon rendez-vous, comme à l'habitude, Camille s'est réfugiée dans son cahier à dessin pour ne pas avoir à donner son opinion. Elle soufflait sur une mèche de ses cheveux blonds en appuyant trop fort sur son crayon, dans une très mauvaise feinte de ne pas nous écouter. C'est qu'elle fait un certain embonpoint, dont, en passant, elle ne parle jamais. Moi, je la trouve vraiment jolie comme ça, mais ce n'est pas son opinion. Je sais qu'elle est complexée par ses formes, même si elle n'en dit jamais rien. Si j'étais à sa place, j'imagine que je cultiverais des envies meurtrières à l'égard de toutes les maigrichonnes qui se plaignent de leur supposé surpoids à qui veut bien les entendre.

Pour sa part, Annabelle est restée silencieuse, comme à son habitude lorsqu'on aborde le sujet des troubles alimentaires, affichant une expression difficile à déchiffrer. Annabelle est toujours difficile à déchiffrer. Je crois qu'il s'agit d'un mélange de frustration et de mépris. Son lunch était encore composé de quelques biscuits soda et d'une boîte de thon. En fait, quand je dis «encore», c'est exagéré. Souvent, elle n'a que des biscuits soda, et j'exagère presque en utilisant le pluriel. Je n'ai pourtant pas l'impression qu'elle a les mêmes motivations que les Girafes, qui, pour la plupart, auraient du canard à l'orange comme lunch si elles en avaient un. C'est très étrange, pour une fille qui va dans une école privée, de manger un dîner aussi… frugal. Déjà que, moi, j'ai incroyablement honte de mes petites patates rissolées et de ma viande hachée, mais elle… Malgré que, avec le nombre croissant de filles qui n'ont pas de lunch du tout, il est difficile de porter un jugement sur le statut social des parents à partir de la nourriture. Le port obligatoire du costume a déjà fait une partie de l'uniformisation, l'anorexie va faire le reste. Il sera bientôt impossible de différencier les squelettes qui, en passant, désertent de plus en plus la cafétéria.

Florence nous a avoué que Gargamel avait convoqué plus de la moitié de l'équipe de volley dans son bureau et avait menacé le quart d'expulsion. La direction a suivi ses conseils et a appliqué certaines mesures pour contrer le phénomène, comme dirait mon extraterrestre de directrice. Par exemple, la salle de conditionnement est maintenant fermée le midi, et les filles du défilé de mode devront se faire peser chaque semaine, sous peine d'expulsion. Regardez-les bien se mettre des roches dans les poches pour flouer la direction! Il y aura deux fois plus de surveillantes dans la cafétéria, c'est-à-dire qu'il y en aura deux, et chaque fille qui n'aura pas de lunch sera menacée d'expulsion. Aussi, les Girafes ont choisi d'adopter le pop-corn pas-de-sel-pas-de-beurre-pas-de-goût comme lunch. Gargamel est bien décidé à augmenter notre masse corporelle moyenne. Bref, c'est la terreur.

Mais pas autant que la scène qui se déroule présentement sous mes yeux. Au milieu du silence ponctué des bruits de mastication de son chum, ma mère se réveille.

— Ah oui, j'oubliais, ta directrice m'a appelée à la clinique, mais j'étais occupée avec Mme Sanschagrin. Sais-tu ce qu'elle voulait?

Je n'ai pas envie de parler de Gargamel maintenant avec ma mère, même si, depuis qu'elle est avec son chum, rien ne semble la déranger; je crois que c'est un effet secondaire de l'amour, avec le sourire niaiseux et les patates brûlées. Je n'ai pas envie d'entendre ma mère dire devant son chum: «Ben voyons, lui as-tu dit, à ta directrice, que tu es pas grosse juste parce que tu es pas encore une femme? En tout cas, profites-en, ma petite fille, parce que, à quarante ans... blablabla! blablabla!» Je déteste que ma mère emploie l'expression «devenir une femme» pour parler des menstruations. Je déteste surtout qu'elle ébruite un secret qui ne concerne que moi. Je joue l'innocente.

— Ah! tu es sûre que c'était la directrice? Je ne vois vraiment pas ce qu'elle me voudrait. C'est peut-être à cause de ma mise en nomination pour le prix Méritas. Jean-Maurice, tu veux venir à mon gala?

En tant qu'adolescente, j'ai bien sûr développé des techniques de manipulation qui, j'en suis souvent la première surprise, fonctionnent très bien. Par exemple, en ce moment, ma mère est si heureuse que j'accorde de l'importance à son petit poulet – je vous jure, c'est comme ça qu'elle l'appelle, sans mauvais jeu de mots – qu'elle en oubliera la directrice le reste de la soirée, ou même de la semaine si je suis chanceuse. Jean-Maurice, ce grand sensible, ne sait plus où se mettre, tellement il est gêné. Il est tout rouge. Je n'arrive pas à imaginer comment il peut faire son travail de policier avec une telle timidité; c'est à n'y rien comprendre.

Vous voulez savoir la meilleure? Ma mère l'a rencontré à sa clinique d'esthétique. Il avait un rendez-vous pour ses points noirs!

— Ma peau a toujours été une grande préoccupation pour moi, qu'il dit souvent en faisant sur l'épaule de ma mère une petite caresse aussi molle que ses spaghettis trop cuits.

Comme pour me rendre la pareille, il décide de me faire une confidence:

— Tu sais, à mon travail, on a un dossier qui concerne ton école.

— Ah… je pensais que ta job, c'était de donner des contraventions…

— Je suis enquêteur, Cendrine, pas patrouilleur !

Ah. Ah ? Ah ! Enquêteur comme dans faire des enquêtes super excitantes sur un meurtrier fou qui donne de fausses pistes et du fil à retordre aux policiers ? Enquêteur comme dans les romans policiers que je lis ? Petit Poulet devient un peu plus intéressant, tout à coup. Mais je n'arrive toujours pas à l'imaginer en train d'interroger un suspect dans une salle fermée avec un faux miroir. Il doit être du genre à s'excuser de le soupçonner d'un crime grave.

— C'est à propos de quoi, ton dossier, dis-je nonchalamment, pour ne pas avoir l'air trop intéressée, alors que je suis d'une curiosité sans borne.

— Eh bien, je ne sais pas trop si je peux te le dire…

Et le revoilà transformé en tomate. Tu parles d'un policier !

— Bon, d'accord. Je comprends que tu me fasses pas encore assez confiance pour m'en parler.

Et me revoilà transformée en manipulatrice. Ma mère lui jette un petit regard désapprobateur, oh ! presque rien, mais Jean-Maurice comprend vite qu'il s'agit là d'un moment propice pour créer entre lui et moi une complicité qui rendrait ma mère siiiiiii heureuse.

— Il s'agit d'un dossier assez complexe qui concerne un sujet assez délicat et il est encore trop tôt pour se prononcer…

On dirait qu'il est parent avec ma directrice et qu'il parle en italique. On croirait entendre le porte-parole de la Sûreté du Québec aux nouvelles de six heures. Du beau vide emballé de mots qui font plaisir aux professeurs de français. Je l'écoute à moitié lorsque j'entends le mot « recruteur ». OK. Quand j'ai souhaité que quelque chose d'excitant se passe, ce n'est pas exactement ce que j'avais en tête. J'imagine déjà la photo de mon école sur la première page du journal. Je dois avouer que je suis presque excitée de me retrouver au centre d'une série policière américaine passant à une chaîne qu'on ne peut évidemment pas se payer.

Jean-Maurice n'a pas quitté son air sérieux.

— On sait pas encore s'il est trop tôt pour sonner l'alarme. Lors d'une petite visite de mes collègues dans un appartement du Centre-Sud où il y avait pas mal trop de bruit au goût des voisins, on a trouvé pas mal d'affaires pas catholiques ; ça, c'est de la routine, mais ce qui est plus inquiétant, c'est qu'il y avait là-bas quelques mineures, dont une fille de ton école, Cendrine. Pis je peux te dire qu'elles étaient pas habillées pour aller à la messe, si tu vois ce que je veux dire.

— Non, je sais pas ce que tu veux dire, que je lance, juste pour l'énerver, je crois.

— Comment ça, tu sais pas ce que je veux dire ?

— Ben, je suis jamais allée à la messe de ma vie.

— Voyons donc ! Même pas à la messe de minuit ?

— Non.

— Mon amour, veux-tu bien me dire ce que vous faites, à Noël?

Et voilà, le travail est fait. Maintenant, je suis certaine que ma mère va oublier l'appel de ma directrice. Après quelques minutes d'argumentation entre elle et son petit poulet sur l'importance des traditions, je relance Jean-Maurice.

— Bon, pis elles faisaient quoi, les filles-pas-habillées-pour-aller-à-la-messe? En passant, c'est quoi, le nom de celle qui va à mon école?

— Ça, je peux pas te le dire, Cendrine. C'est top secret. On sait pas trop c'est quoi leur rôle là-dedans, mais elles avaient pas l'air d'être engagées comme femmes de ménage, si tu vois ce que je veux dire.

— Non. Mes parents ont jamais eu assez d'argent pour engager une femme de ménage.

Je me trouve très drôle. Mais pas ma mère. Flairant le malaise, Jean-Maurice poursuit très rapidement:

— En tout cas. Je peux pas me prononcer tout de suite, mais, comme des témoins nous ont affirmé qu'ils avaient vu des gars louches tourner autour de plusieurs écoles dont la tienne, j'ai peur qu'on ait affaire à une histoire de recruteurs. Tu comprends donc qu'il serait important de rapporter à la police tout individu suspect qui se trouve dans le secteur de ton école. Mais, pour l'instant, ne dis rien à ton entourage. On devrait donner un avertissement officiel quand on en saura plus. Tu sais, Cendrine, c'est sérieux, ce genre de menace là. Je dis ça parce que, des fois, les jeunes ont l'air de penser que ça arrive juste dans des séries policières américaines qui passent sur... euh... une chaîne que vous avez même pas.

D'abord Jessifée, maintenant Jean-Maurice! Si mon cerveau est devenu un endroit public, il faudrait m'avertir, quand même! Je tâcherai d'arrêter de penser dans le dos des autres. Le silence se fait à table. Ma mère se raidit et jette un regard noir à Jean-Maurice. Je sens qu'il y a un petit poulet qui va se faire cuisiner ce soir. C'est qu'il ne sait pas à quel point ma mère croit dur comme fer que de m'envoyer à l'école privée me tient une fois pour toutes et surtout magiquement loin de ce genre de problèmes. Jean-Maurice se jette sur ses spaghettis comme un affamé, à défaut de se mordre les lèvres au sang à cause de sa confidence qui vient de glacer le sang de ma mère. Ça refroidit vite, le sang d'une mère. C'est pour ça qu'elles ont toujours froid.

L'ambiance du souper devient insupportable d'un seul coup. Si ma mère ne dit pas quelque chose maintenant, je vais me mettre à déblatérer d'interminables conneries que je regretterai d'avoir dites par la suite, comme chaque fois qu'il y a un malaise dans un groupe, c'est-à-dire dans un rassemblement de deux personnes et plus, incluant moi. Hé! maman, dis quelque chose, je t'en prie!

— J'ai une bonne nouvelle à vous annoncer!

Ah non! Elle ne va pas revenir à la charge avec mes sourcils!

— Ton frère vient souper demain, poursuit-elle. Il va être là avec son coloc.

C'est une maladie, ou quoi? Même ma mère se met à parler en italique. Elle s'est fabriqué un air sérieux de mère, mais je vois bien qu'elle tente désespérément de réprimer un fou rire. De mon côté, je garde la tête dans mes spaghettis, de peur d'avoir une réaction inappropriée. Tout à coup, je repars du même rire idiot qui a choqué la directrice ce matin. Je n'ose pas lever la tête, jusqu'au moment où je me rends compte que ma mère a le même rire. Alors, je me lance.

— Il va enfin nous annoncer qu'il est gai?

— Voyons, Cendrine, dis pas ça, on le sait pas! avance ma mère sur un ton tellement peu crédible.

— Maman, réveille!

J'ai maintenant une crise de fou rire incontrôlable. Non pas que je croie l'homosexualité de mon frère très drôle; c'est la tête que fait Jean-Maurice en ce moment qui me fait marrer. Il ne sait tellement plus où se mettre! Je vois son cerveau fonctionner à toute allure; il se demande si la réaction appropriée serait de demander de façon très cool quelles sont nos raisons de croire que mon frère est gai, ou bien s'il doit se comporter comme un père et tenter de réprimer ma réaction incontrôlable. Il se contente de ne rien dire, mais on voit que son regard se pose sur le mur du corridor, où règnent fièrement toutes les photos d'Halloween de mon frère et de moi depuis que nous sommes enfants. Sur chacune des photos, on le voit déguisé soit en fée, soit en sorcière, soit encore en princesse, alors que je suis chaque fois déguisée en clown. Mon frère va donc arrêter de faire semblant que personne ne se rend compte de rien? C'est génial. Pendant un instant, j'en oublie presque l'histoire de gars louches. Décidément, il faut faire attention à ce qu'on souhaite. Vivement la nuit, qu'on m'apporte sur un plateau d'argent des histoires colorées, loin des spaghettis trop cuits et des pinces à épiler.

3

UN GARGAMEL ET DES SCHTROUMPFETTES

LUNDI MATIN 5 MAI

Je tombe. En fait, j'ai l'impression de tomber, mais je monte. Je tombe par en haut et c'est très étrange comme sensation. Je tombe par en haut à une vitesse effroyable. J'imagine que c'est la vitesse de la gravité. Je suis aspirée par le ciel de plus en plus vite, je m'élève au-dessus des nuages, je ne vois plus le sol, la peur s'épaissit dans ma gorge et m'empêche de pousser un cri. Je me demande où cela va me mener. Contrairement à ce qui nous étreint lorsqu'on tombe vers le bas, je n'ai pas peur de l'arrivée du sol, mais plutôt de l'endroit où va s'arrêter ma chute. Tout à coup, je réalise que je rêve. Je tente donc d'enrayer mon antichute et y arrive un peu. Mon ascension vers la stratosphère ralentit jusqu'à devenir agréable et grisante.

Maintenant, une image apparaît en dessous de moi. Elle est tout d'abord assez floue, puis mes yeux s'habituent à cette apparition, qui devient du coup de plus en plus claire. Au milieu des nuages se dresse un magnifique château mauve. Je ne blague pas. Immense, il est orné de dizaines de tours ; je vous le dis, il est simplement magnifique. Mais, le plus beau, là-dedans, c'est que je sais que je rêve. Fascinée, je scrute plus attentivement la stupéfiante création de mon cerveau pour mesurer l'étendue du pouvoir de mon inconscient.

J'ai peur de me réveiller, comme chaque fois que je suis trop consciente de rêver. C'est logique : si le rêve est un produit de l'inconscient, il est normal qu'il cesse au moment où le conscient prend le dessus. Mais je me teste. Depuis plusieurs semaines, je m'entraîne à rester endormie malgré que j'aie conscience de rêver. Alors, je plisse les yeux et je regarde intensément le château. J'essaie de capter de petits détails afin de les ramener avec moi de l'autre côté du sommeil… et j'y arrive.

Je suis estomaquée de constater la précision du dessin effectué par mon esprit : le château présente des voûtes, des arches, des gargouilles et plusieurs autres détails architecturaux que je ne sais même pas nommer. Je peux même apercevoir des gens qui bougent dans la cour intérieure.

J'arrive à contrôler mes déplacements. Maintenant, je vole. Je vole ! Je m'approche doucement du château en glissant dans l'air tiède. Je porte une attention particulière à l'air humide qui caresse ma peau. Je peux distinguer les êtres qui occupent la cour ; il s'agit de l'équipe de volley au complet. Chacune des joueuses, dont Florence, est attachée à un bûcher que Gargamel allume joyeusement en chantant : « La-la-la schtroumpf-la-la ! » Puis, avec un air démoniaque, il s'écrie : « T'as pas oublié d'acheter du Nutella ? Dis-moi que t'as pas oublié ça encore ! » Curieusement, il a la voix de Nancy.

C'est évidemment à ce moment que je me réveille.

Leçon de rêve numéro un : quand un rêve est sur le point de se terminer, la réalité prend un vilain plaisir à venir y mettre son gros nez poilu. J'aimerais seulement que cette Nancy fasse partie du monde des cauchemars et non de celui de la réalité, elle qui ne peut vivre sans son Nutella. Et quoi, encore ? une boîte à lunch Fraisinette ?

Je sais que je ne suis pas la seule, mais je déteste particulièrement les lundis. Ils m'angoissent, surtout lorsque j'ai un rendez-vous avec Gargamel. En me rendant à l'école, je repasse mon rêve en détail afin de ne pas le laisser s'échapper. J'éprouve une espèce de vertige à l'idée que mon esprit est capable de créer un tel château, alors que je ne suis même pas capable de dessiner un bonhomme allumette. Voilà bien la preuve, comme je l'ai lu quelque part, que nous n'utilisons que dix pour cent de notre cerveau. Peut-être ai-je déjà vu ledit château quelque part, ce qui expliquerait que je sois capable de le reconstituer en rêve avec autant de détails, mais cela me semble tout de même assez peu probable. En plus, à part celui de Disney World, je n'ai jamais vu de château. Et pourquoi un château ? Je repense à Gargamel et à l'horreur qui se peignait sur le visage des joueuses lorsque le feu commençait à attaquer leur bûcher. Je lis trop de romans fantastiques; c'est ce que dirait ma mère.

Mais on ne peut pas nier que Gargamel a jeté une ambiance franchement déprimante sur mon école. Je crois que les filles ont couru après, avec leurs idées saugrenues de maigreur, oui, mais quand même, on n'était pas obligées d'y ajouter un climat de terreur. Mon rendez-vous est sur l'heure du midi. Je suis stressée même si je sais très bien dans le fond que je n'ai rien à me reprocher. Le fait est que la présence de Gargamel a rendu tout le monde paranoïaque et que chacune en est venue à se questionner sur ses habitudes alimentaires. Serais-je anorexique sans m'en rendre compte ? Est-ce que je mange mes émotions ? Est-ce que je mange mes quatre groupes alimentaires ? Selon les Girafes, c'est pop-corn, jujubes, boissons énergisantes et laxatifs.

Le merveilleux jour d'aujourd'hui commence par un cours d'éducation physique. L'horreur ! Inutile de vous dire que c'est ma matière la moins forte. Et, pour ajouter à ma terreur personnelle, durant cette étape-ci, on fait du basketball. Ce n'est pas juste. Le quart des filles de ma classe sont des Girafes. Pour elles, le sport est une seconde nature, surtout s'il implique de manipuler un ballon. Ce n'est pas juste ! Est-ce que je l'ai dit ? Alors ce matin, en plus de détester les lundis, je déteste un peu, juste un tout petit peu les Girafes. OK, peut-être un gros peu. Sauf Florence, bien sûr.

Je suis en train de me changer pour mon cours d'édu dans le vestiaire des Girafes, la seule occasion où on a le droit d'y entrer. J'ai la tête dans un château mauve quand je me rends compte que l'ambiance s'est beaucoup améliorée. La plupart des filles rient, parlent et s'agitent comme si c'était un vendredi après-midi de tempête de neige préparty chez Jolianne. Ou comme si elles étaient toutes des Jessifée en préfinale d'*Occupation double*. Ça me met de bonne humeur, même si je ne connais pas la raison de l'excitation générale. J'écoute plus attentivement et je capte des bribes de conversation.

— Il est tel-le-ment beau !
— Il paraît qu'il est célibataire !
— Etc.

Encore une histoire de gars. En entrant dans le gymnase, je demande à Florence ce qui se passe. Ça me fait réaliser que je suis vraiment hors circuit, ces temps-ci. Elle me répond froidement que, et je la cite :

— Les petites fifilles sont énervées parce que le prof d'édu se fait remplacer par le coach des Girafes !

Et elle s'éloigne, l'air mauvais. Décidément, Florence ne va pas bien. Ce doit être ses copines Girafes qui la mettent dans cet état. Florence veut toujours aider tout le monde. Avec son équipe, elle est servie…

Mais peu importe, Patrice Barré, le nouvel entraîneur de l'équipe de volley, donnera le cours. Je flotte! Je ne suis pas du genre à me mettre dans cet état pour chaque remplaçant, mais lui, il a vraiment un petit quelque chose, un petit air charmeur, un regard doux qui me fait craquer. Exactement le genre de gars qui m'intéresserait si je côtoyais des gars. Je me ressaisis assez rapidement: ce matin, j'aurai l'air conne devant Patrice Barré, parce que, inévitablement, quand on joue au basket, j'ai l'air conne. Je ne comprends rien à ce jeu et je ne suis pas foutue de dribler le ballon plus de deux secondes avant qu'il prenne vie et qu'il me fuie comme la peste. Je déteste les lundis matin.

L'excitation est à son comble pendant l'échauffement. Nous faisons des tours de gymnase en driblant un ballon. Chaque fois que les filles passent devant Patrice, elles ne joggent pas, mais gambadent plutôt comme des schtroumpfettes. Elles ont oublié – ? – d'attacher leurs cheveux et les laissent voler derrière elles dans l'attente d'un avertissement de Patrice, auquel elles répondront par une moue séductrice. J'en soupçonne même de faire exprès pour que leurs seins s'agitent dans tous les sens. Moi, je ne me suis jamais sentie à ce point comme un singe. Mes bras s'allongent pour tenter désespérément de ne pas perdre mon ballon, alors que mes jambes trop courtes n'arrivent pas à suivre la cadence des autres.

Après deux minutes qui me semblent une éternité, on s'assoit toutes par terre, pour recevoir de la part du prof des directives qui sont pour moi aussi douloureuses qu'un voyage de fin d'année en autobus assise à côté de Jessifée.

Tiens… Jessifée! Elle n'est pas là, aujourd'hui? Je suis presque déçue. Je regarde Florence qui écoute le prof suppléant, ou plutôt son entraîneur, avec un air très sérieux. Dès qu'il s'agit de sport, Florence devient très sérieuse. Toutes les autres ont un sourire niaiseux, au point que je me demande si elles ne feront pas brûler leurs patates, ce soir. J'essaie de retenir le mien, mais je n'y peux rien, je me laisse aussi bercer par la musique de la voix de Patrice. J'en oublie même qu'il parle de sport; ce n'est pas peu dire!

— Vous êtes toutes des gagnantes. Quelque part à l'intérieur de chacune de vous se cache une athlète. OK, pour certaines, elle n'est pas cachée très, très loin…

Du regard, Patrice effleure Florence, qui garde un visage de marbre, alors que je vois Alexane devenir verte de jalousie. Je scrute la classe et constate que toutes les filles sont suspendues aux lèvres du prof.

— Certaines devront travailler plus fort que d'autres. Certaines devront travailler leur force physique…

Il plonge ses yeux dans ceux de Karine, qui tente de faire l'indifférente, mais qui se liquéfie sur place.

— … d'autres, leur endurance…

Il sourit tendrement à Marianne, qui lui rend un sourire complice, trop complice à mon goût.

— … pour d'autres, on parlera plutôt de travailler le mental…

Il embrasse des yeux Alexandra, Ariane, Jade, Jolianne et quelques autres au passage, qui soupirent toutes d'amour intérieurement, extérieurement dans le cas de Jade.

— ... ou encore la motivation. Certaines d'entre vous ont tout simplement besoin d'apprendre qu'elles sont capables de s'adonner à un sport.

Patrice arrête son regard sur moi. Sur moi! Je rougis immédiatement, en commençant par les oreilles. Ça me rappelle tout de suite le moment où j'ai craqué pour lui, l'an passé, à la sortie de fin d'année.

Fidèle à moi-même, j'étais à la sortie des pas-fines. C'est comme ça qu'on surnomme l'option numéro deux de sortie de fin d'année, celle qui est imposée aux filles qui ont accumulé trop de retenues pendant l'année ou celles qui ont fait un mauvais coup assez raide pour être privées de La Ronde ou des glissades d'eau au profit d'une sortie culturelle à un endroit passionnant comme le Village québécois d'antan de Drummondville. Je sais, vous vous demandez comment j'ai atterri dans la sortie des pas-fines. Je l'ai choisie, figurez-vous. Oui oui! Je déteste les manèges. Ça tourne, ça tourne, ça tourne, ça me fait vomir. Je déteste les glissades d'eau. Ça tourne, ça tourne, ça me retourne, ça me fait avaler de l'eau et ça me fait vomir.

J'étais donc à l'accueil du fameux Village québécois d'antan quand Patrice est arrivé dans sa superbe voiture. J'aimerais bien pouvoir vous en dire davantage au sujet de son bolide, mais je ne connais pas les voitures. C'est une fille à côté de moi qui m'a dit qu'il avait un maudit beau char. Moi, je me fous bien de l'auto, surtout quand celui qui en sort est Patrice Barré, accompagnateur à la sortie des pas-fines. Ah, ah! pour une fois que j'allais pouvoir me vanter à tout le monde d'avoir choisi cette sortie-là! Par contre, je ne suis pas une groupie finie; je ne me suis quand même pas garrochée comme plusieurs pour marcher à ses côtés, que dis-je, pour glousser à ses côtés pendant la plus grande partie de la visite.

À un certain moment, lui et sa basse-cour marchaient derrière moi. Je tentais d'avoir l'air naturelle, de continuer ma conversation avec une fille tellement insipide que j'en avais des haut-le-cœur et surtout de ne pas remarquer qu'il faisait un tas de blagues idiotes. Les dindes riaient en rejetant la tête en arrière pour déployer leur poitrine de dinde. Tout à coup, il a abandonné sa bande de… OK, vous avez compris que j'étais verte de jalousie. Donc, il a abandonné les dindes pour courir jusqu'à moi. Jusqu'à moi! Je pouvais déjà sentir son après-rasage qui fait frémir la plus indifférente des narines dans les corridors près du gymnase. Il m'a arrêtée en posant une main sur mon épaule. Mais oui, il m'a touchée, oh! en disant :

— Pauvre chouette, t'es en train d'attraper un coup de soleil. Attends, je vais te mettre de la crème solaire.

Chouette, c'est mieux que dinde, non? Mais, bon, encore cet oiseau!

J'étais tellement gênée de plaisir que j'en suis devenue encore plus rouge, sans que le soleil y soit pour rien. Je l'ai laissé sortir sa crème en omettant de lui dire que, en tant que rousse carotte, je ne sors jamais l'été sans me rouler dans la soixante. Il était sur le point de m'appliquer une généreuse couche de quinze – de la quinze! Pourquoi pas de l'huile à moteur? – quand le prof de géo lui a fait de gros sourcils. Ses sourcils à lui sont tellement gros que j'ai cru y apercevoir une famille de poux en train de danser. Il est vrai qu'un prof de sexe masculin, jeune et beau de surcroît, ne doit jamais toucher une élève. C'est élémentaire. Il m'a donc prêté sa crème solaire, que j'ai dû moi-même m'appliquer en laissant, bien sûr, de grosses traces blanches un peu partout dans mon dos, trop troublée que j'étais par ce qui ressemble le plus à ce jour dans ma vie à une relation intime. C'est tout dire!

Je sors de ma rêverie pour constater que le beau Patrice ne remue pas les lèvres silencieusement. De doux sons sortent de sa bouche.

— … car c'est au moment où vous vous dépassez que vous êtes belles. C'est au moment où vous donnez tout ce que vous avez et que vous faites des sacrifices qui en valent la peine que vous grandissez et devenez des femmes.

Toutes les filles sont gonflées à bloc, déterminées à donner tout ce qu'elles ont durant les prochaines minutes de ce cours d'éducation physique qui n'aura probablement aucune répercussion sur leur entrée au cégep ou à l'université.

Patrice donne des instructions qui, déjà, me font l'effet d'une douche froide. Il sépare rapidement la classe en quatre et explique un exercice où l'on doit, en gros, courir, dribler, passer le ballon et crier je ne sais quoi, ce qui est déjà beaucoup trop pour mes capacités motrices.

Je m'éclipse vers le vestiaire pour échapper à cette humiliation. En quittant le gymnase, je vois Jessifée au bord des larmes. Il me semblait aussi que je ne pouvais pas y échapper ! Qu'est-ce que notre Jessifée a de spécial, aujourd'hui, question de mettre un peu de piquant dans ma journée ? Scan rapide. Cheveux ? Non. Toujours un mélange de trois couleurs de mauvais goût. Rouge à lèvres ? Non. Toujours le fameux Saumon du Pacifique. Ombre à paupières ? Non. Du mauve cerclé de bleu souligné de rose. Mascara ?

Je suis un monstre. Jessifée est là, la larme à l'œil, alors que tout ce que je veux, c'est me divertir un peu à ses dépens. Elle prend un air dramatique et se tient devant moi, attendant que je lui pose la question.

— Qu'est-ce qu'il y a ?

— Rien.

— Ah bon.

Je ne vais tout de même pas lui courir après ! Je fais mine de m'en aller lorsqu'elle se ravise.

— En fait, j'étais venue pour dire que je ne pourrai pas être au cours d'édu, mais là je viens de voir que c'est Patrice qui donne le cours et je ne peux pas croire que je vais rater ma chance !

— Ta chance de quoi ?

— Ben, ma chance de… de… ma chance avec Patrice! s'exclame-t-elle comme une mauvaise actrice de série américaine.

— Il est bien trop vieux pour toi! Pis t'as pas un chum, toi? Il me semble…

— Ben oui, mais… De toute façon, il est pas trop vieux pour moi, il a presque le même âge que mon chum.

Patrice a vingt-huit ans et elle en a seize. Est-ce que c'est moi qui suis aveugle ou bien je ne comprends pas pourquoi un homme de trente ans s'intéresserait à une fille du secondaire plutôt qu'à une belle femme de son âge, une femme séduisante, confiante, avec de vrais seins de femme, et non de petits seins pointus qui se dressent comme des armes… Je ne sais pas pourquoi, j'ai toujours trouvé que, des seins pointus, ce n'est pas de vrais seins de femme. Ce doit être parce que j'ai moi-même, comme Jessifée, d'ailleurs, deux minuscules noisettes en guise de poitrine.

Oh non! J'ai trouvé ce que Jessifée a de nouveau. Ça saute au visage. Mais qu'est-ce que c'est que ça? Sérieusement, dites-moi que j'hallucine, dites-moi que je rêve trop et que je ne fais plus la différence entre le rêve et la réalité. Je reste là, les yeux fixés sur cette… apparition, quand Jessifée me ramène à la réalité.

— T'as remarqué? me dit-elle avec une soudaine bonne humeur effrayante. C'est pour ça que je ne peux pas faire d'éducation physique. J'en ai pour quelques semaines comme ça.

Je ne peux pas croire qu'elle soit aussi fière de

son nouveau look. Je ne peux surtout pas croire qu'elle a réussi, à seize ans, à avoir accès à la chirurgie plastique! Mais quelle taille c'est? Au moins du 34D! Ça y est, je serai la seule à n'avoir aucune poitrine dans cette école. Je n'aurai jamais de chum, c'est certain. Je resterai seule à magasiner mes brassières 32AA et à nourrir mes douze chats parce qu'il ne me restera qu'eux dans la vie. Je n'ai jamais eu de chats, mais, bon, c'est bien connu, les vieilles filles ont toujours tout plein de chats. Florence se mariera avec son beau Tristan, Camille sera une artiste reconnue et moi je ne serai que la fille qui n'a pas de seins et à qui personne ne s'intéressera.

OK, pas de panique! Regardons les choses en face. J'ai beau avoir la trouille de ma vie à l'idée de n'avoir jamais de chum, quelque part dans mon cerveau, je sais bien qu'il y aura un gars un jour pour qui mes petits seins ne seront pas un problème. Et, même si je n'en suis pas si certaine et que parfois cette perspective me déprime au plus haut point, pour rien au monde je ne voudrais subir une chirurgie, moi qui m'évanouis dès que je me fais une coupure avec une feuille de papier. Pour quelle raison voudrait-on subir une pareille…

Oh mon Dieu! Et si Jessifée… J'ai un doute concernant la raison ou la personne qui a poussé Jessifée à subir une augmentation mammaire. Qui c'est, son chum?

— ★ —

En face de Gargamel, j'essaie de me concentrer et d'oublier mes soupçons ridicules à propos des seins de Jessifée, mais je n'y arrive pas. Je me rappelle que, hier matin, Jessifée m'a parlé de la cocaïne qui vient de Colombie. Comment elle sait ça, elle ? Et puis, lorsqu'elle n'est pas en uniforme scolaire, Jessifée est tout à fait le genre de fille qui n'est pas habillée pour aller à la messe. Ni à l'épicerie. Ni nulle part ailleurs, à bien y penser. Les paroles de Jean-Maurice résonnent dans ma tête : *Signaler la présence de tout individu suspect tournant autour de l'école.*

Je me demande ce qui est le moins suspect, un individu rôdant autour de l'école à la recherche de la candidate idéale à l'augmentation mammaire ou un psycho-machin à deux cennes qui porte un sarrau trop grand, trop blanc, trop ridicule dans son bureau de spécialiste des troubles alimentaires, un bureau qui est en fait un placard adjacent à la conciergerie, et qui me regarde avec des yeux à la fois vides et perçants. Il me regarde comme ça longuement, tellement qu'à un certain moment je jette un coup d'œil derrière moi pour m'assurer que je suis seule dans son bureau. Je ne sais pas où me mettre ni où regarder. Je fixe son crâne luisant en essayant de voir s'il me renvoie mon reflet. Si je penche la tête de ce côté, est-ce que je verrai mon reflet sur sa tête chauve ? Soudain, il ouvre la bouche. Lentement, très, très, très lentement, il me pose la question suivante :

— Cendrine – pause –, quand – pause – tu te – re-pause – re-gar-des – lèchement de lèvres et pause –

dans le miroir – pauuuuuuuuuuuuuuuuuuuse –, que vois-tu ?

J'ai l'impression d'être dans un film d'horreur où le tueur en série formule une énigme destinée à piéger sa victime. Si j'obtiens la bonne réponse, je peux sortir d'ici vivante. Sinon, je risque de me retrouver ici tous les midis, ou pire, après l'école comme Ariane et Marianne. Je fronce les sourcils et réponds le plus naturellement du monde :

— Je vois une belle fille. Ben, je veux dire pas si belle, quand même, là, correcte, mettons, mais trop petite, pis avec de gros sourcils quand même.

Je ne peux pas croire que j'ai dit ça. Je peux encore moins croire ce qu'il me répond :

— Tu sais pourquoi… tu trouves que tes sourcils sont… … … gros ?

Enfin, vous avez compris le principe. Je vous laisse donc le soin d'insérer vous-mêmes les pauses où vous le jugez bon pendant qu'il poursuit :

— C'est parce que ton visage est tellement décharné que tes sourcils prennent toute la place. Si tu gagnais un peu de poids, ne crois-tu pas que tes sourcils reprendraient leur taille normale ?

Ah non ! Je sens le rire idiot qui monte en moi. Il faut à tout prix que je le réprime ; ce fou furieux serait prêt à me faire enfermer juste parce que j'ai ri. Parce que j'ai ri et que… je suis tellement maigre que mes sourcils prennent toute la place ? Je songe à respecter mon pari avec ma mère juste pour éviter ce moment. Je ne peux pas croire que je vais me taper une thérapie avec ce clown simplement à cause de ma phobie de l'épilation. Mais j'y pense, je pourrais sûrement éviter l'épilation même si je respecte le pari, parce que, apparemment, on peut réduire la taille de nos sourcils en prenant du poids. Quand je vais dire ça à ma mère! «Tu sais quoi, maman? Plus besoin de pince, de laser, de cire chaude! Une cliente veut une belle aisselle glabre? Pas de problème, madame, vous n'avez qu'à vous bourrer la face de chips comme une grosse truie et vos poils de dessous de bras vont disparaître comme par enchantement. »

Il faut que je sorte d'ici. Vu les insinuations de mon père ce matin concernant le fait que je pourrais devenir la meilleure amie de Nancy – quelle bonne blague! – et les plaintes de Jessifée à propos de ses chances avec Patrice, j'ai entendu mon quota d'absurdités pour aujourd'hui. Déjà que j'ai à endurer mes propres pensées à longueur de journée.

Gargamel reprend de plus belle:

— Je vais passer un marché avec toi, Cendrine. Chaque fois que tu vas te regarder dans le miroir, tu vas te dire: «Je suis belle et je ne mérite pas le traitement que je m'inflige. Mon corps a besoin d'aliments sains pour fonctionner et ma tête a besoin d'estime personnelle pour avancer. » Je te donne rendez-vous jeudi prochain, à la même heure, et je veux que tu aies noté tous les aliments que tu auras mangés d'ici là. Je te donnerai aussi des trucs. Bonne journée.

Mais c'est quoi, cette formule à la con? Ma tête a besoin d'estime pour avancer? Non. Non, quand même, je ne vais pas sortir d'ici sans rien dire. Mais ce n'est pas du tout mon genre de dire ma façon de penser à une personne en situation d'autorité. Oserai-je? Je sens une boule dans mon ventre. Elle monte dans ma gorge. Ah, et puis, qu'est-ce que j'ai à perdre? C'est un psychologue, après tout. Il se nourrit de ça, les crises d'adolescentes en crise d'adolescence. Je vais lui donner ce qu'il veut.

— C'est tout? que j'avance timidement. Vous ne me demandez pas ma version des choses? Vous ne me demandez pas si, par hasard, je ne serais pas maigre de nature? Si je ne serais pas, par hasard, du genre à espérer prendre du poids, du genre à manger du Nutella à la cuillère pour ressembler aux filles de ma classe qui ont des seins et des hanches?

Pause interminable.

— Je me suis peut-être trompé sur toi, Cendrine. Jeudi, tu me remettras la liste de tous les aliments que tu auras ingurgités sans te faire vomir. Bonne journée.

Je suis bouche bée. Voyant que je ne sors pas, Gargamel me désigne d'un geste nerveux la porte entrouverte derrière moi, où une file de filles attendent en faisant des blagues pour cacher leur trouille de voir leur casier fouillé à la recherche de laxatifs. Je me lève et me dirige vers la sortie sans me retourner ni le saluer. Juste avant que je passe la porte, Gargamel me lance, l'air ailleurs :

— Oh, et ce n'est pas avec une attitude comme celle-là que tu risques qu'un gars s'intéresse à toi un jour.

Aouch-che. Je sors rapidement, les yeux au sol. Je regarde ma montre : quatre minutes trente-deux secondes. Je suis restée dans ce bureau quatre minutes trente-deux secondes et je suis dans cet état. Un mélange de colère, de sentiment d'injustice et de pitié envers moi-même m'assaille. C'est du beau travail. J'hésite entre me jeter sur la directrice en pleurant pour lui faire comprendre qu'elle a engagé un imposteur et aborder une Girafe l'air de rien pour vérifier si je suis la seule à penser que Gargamel devrait retourner dans sa forêt lointaine et se trouver d'autres schtroumpfs à fouetter.

Avant de quitter ce coin sombre de l'école, je remarque que le concierge se tient là, immobile, appuyé sur son éternel balai ; il a dû être acheté à l'ouverture de l'école, en 1947 ; le balai, je veux dire, pas le concierge. Il me sourit paternellement comme il le fait souvent.

Mouvement du pouce tourné vers le haut, suivi d'un autre avec les deux mains ouvertes, près du menton.

— *Comment va ta grand-mère ?*

Je pointe le pouce vers le haut.

— *Elle va bien.*

Il fait un « c » avec la main qui tourne devant son visage, puis un geste vers une casquette imaginaire de la main droite, qui va rejoindre la gauche.

— *Elle cherche un mari ?*

Je hausse les épaules en souriant. C'est l'éternelle discussion que j'ai avec lui, si on peut appeler cela une discussion. Comme les sourds-muets se connaissent tous dans cette ville, le concierge me connaît aussi. Il sait que je suis la seule dans cette école qui parle le langage des signes. Alors, c'est toujours la même chose. Il commence par me parler de ma grand-mère, ensuite il se lance dans un monologue que je suis incapable de suivre, d'une part parce que mon vocabulaire du LSQ n'est pas assez étendu, mais surtout parce que le concierge a la fâcheuse tendance à parler les mains pleines; je crois que son balai est soudé à ses mains. Quand il me regarde intensément dans l'espoir d'une réponse, mon malaise est chaque fois si grand que je flanche. Je prétexte que la cloche a sonné et je me sauve presque en courant. Je suis vraiment pathétique ! Il doit penser que je suis comme toutes les autres.

La plupart des filles de l'école font semblant d'être super absorbées par leur téléphone dès qu'elles le croisent, tant l'impossibilité de communiquer avec lui les met mal à l'aise. Bon, pour certaines, c'est carrément le fait qu'il est concierge qui les fait lever le nez sur lui. C'est bien connu, les concierges ne sont pas à la hauteur des filles de juge ou de chirurgien. D'autres pensent, et c'est à mon avis encore pire, que le concierge est attardé, comme elles le disent si bien. Elles prennent ses tentatives infructueuses d'émettre des sons cohérents pour un signe de déficience intellectuelle. Ce qui est le plus triste, c'est qu'elles ne sont pas les seules. Chaque fois que mon père accompagne mamie dans des rendez-vous importants pour lui servir d'interprète, le médecin, le notaire ou le banquier demande toujours à mon père si elle sait lire et écrire. Sa réponse est invariable.

— Je vous ai dit qu'elle est sourde et muette, pas analphabète !

Bref, il y a pas mal de chemin à faire.

Je me dirige vers la cafétéria avec un air d'enterrement pour rejoindre Florence, qui a aussi un air d'enterrement, et Camille, qui a un air de… bien, un air de Camille qui dessine. Contrairement à d'habitude, je ne suis même pas intéressée à savoir ce qu'elle dessine. Je me laisse tomber sur ma chaise.

— Gargamel est un con, que je balance avec un soupir qui en dit long.

— Tu dis la même chose que toutes les Girafes, dit Florence. Vous comprenez pas qu'il est là pour vous aider ? Moi, en tout cas, je suis bien contente que quelqu'un d'autre que moi fasse la police dans l'équipe. Je suis un peu tannée de trouver des moyens détournés pour faire manger des barres tendres full protéines aux filles.

— Non, mais attends, là. Peut-être que Gargamel a raison de s'acharner sur les Girafes squelettiques, oui, mais moi, c'est pas pareil !

— Toi, c'est jamais pareil, madame Oui-Mais, me jette-t-elle froidement.

Re-aouch. Je ne peux pas croire que c'est Florence qui vient de me dire ça. Madame Oui-Mais, c'était le surnom que mon père me donnait quand j'étais petite. Ça me faisait rager. Et Florence le sait. Aujourd'hui, dès que j'argumente, il me le ressort. Oui, mais, est-ce que je peux avoir raison, des fois ? Je regarde Florence du coin de l'œil en jouant sans conviction dans mon reste de spaghettis. J'avance tranquillement un dernier «oui, mais» pour la journée.

— Tout ce que je veux dire, c'est que Gargamel a été engagé pour faire une job, pis il va la faire, peu importe si la fille qu'il a devant lui est anorexique, boulimique ou cannibale! Tout ce qu'il veut, ce gars-là, c'est son chèque de paye, c'est clair. Il se fout d'aider réellement. Pendant ce temps-là, la directrice est bien contente, parce qu'elle se sent beaucoup moins coupable. C'est tout.

J'hésite avant d'ajouter:

— Tu penses quand même pas que je suis anorexique, Flore?

— Non, mais boulimique, ça se pourrait. Tu manges tellement pis tu engraisses pas pantoute! C'est presque louche.

J'ai envie de pleurer. S'il y a quelqu'un qui sait que je ne suis pas boulimique, c'est bien Florence. Elle est témoin de mon évolution, ou plutôt de ma non-évolution depuis le début. Elle est presque la seule à savoir que je n'ai pas encore mes règles à quinze ans. Même si on n'en parle jamais, elle sait probablement que, toute ma vie, j'ai voulu lui ressembler. En première secondaire, je mettais des talons hauts et mon bas de pyjama sous mes jeans pour avoir l'air aussi grande et aussi musclée qu'elle. Comment peut-elle m'accuser comme ça? J'imagine que Gargamel a réussi son plan machiavélique et que tout le monde soupçonne tout le monde. Même Florence, à la limite, je pourrais la soupçonner. Elle ne mange pas beaucoup. Ses portions sont calculées, elle ne fait jamais d'excès, ne mange jamais de dessert. Elle n'a pas le choix, qu'elle me dit, si elle veut performer au volley. C'est qu'elle prend ça vraiment au sérieux, comme tout ce qui concerne l'activité physique. Tout comme les études. Et le piano. Et son chum, Tristan.

Arrêter de me comparer, arrêter de me comparer, arrêter de me comparer... Je me fais toujours cette promesse-là, mais je ne la tiens jamais.

La dernière fois, c'était au party d'Halloween chez Jolianne, au moment où j'étais en train de vomir mes cocktails sur mon costume trop grand de danseuse de flamenco. C'était ma mère qui avait insisté pour me prêter son costume, pour que j'aie l'air féminine et que je puisse impressionner les petits gars. Florence nous annonçait, avec ses grandes jambes et sa poitrine rebondissant dans sa robe médiévale, que c'était officiel entre elle et Tristan. Ledit Tristan était déguisé en chevalier. Tu parles d'un costume quétaine!

Je replonge dans mon spagate. Il règne autour de moi comme une odeur de mort, de mort trop épicée; je le savais que Jean-Maurice ne faisait pas la meilleure sauce!

Soudain, Camille lève la tête, un grand sourire aux lèvres, et nous montre fièrement son dessin en nous demandant si c'est ressemblant. Elle a fait un portrait très réussi et très détaillé de Gargamel. Au lieu d'un sarrau blanc, il porte la longue robe noire du Gargamel des schtroumpfs et il tient à la main un petit panier dans lequel se trouvent des champignons et de petites girafes. Il a un sourire démoniaque aux lèvres. Camille finira très probablement caricaturiste, illustratrice ou bédéiste. Sacrée Camille! Elle qui ne suit jamais une conversation et qui pose toujours la question dont tout le monde rit parce qu'elle est invariablement hors sujet, c'est toujours elle qui finit par sauver la situation. Combien de fois est-elle venue détendre l'atmosphère ou régler un conflit sans s'en rendre vraiment compte! Elle a encore frappé dans le mille. Florence éclate de rire. Ça fait tellement de bien de la voir rire! Je me rends compte à l'instant que ça fait un bon bout que je ne l'ai pas vue souriante. Elle rit tellement que ça en devient presque épeurant, mais je m'en fous; au moins, l'ambiance est meilleure. Je ris moi aussi. À travers ses larmes, Florence me dit:

— T'as peut-être raison, Cendre, à propos de Gargamel. Tu sais pas ce qu'il a donné comme truc à Marianne? Il lui a dit de jeter un billet de cinquante dollars dans la toilette chaque fois qu'elle se fait vomir, et de vomir dessus; comme ça, elle finira bien par être tannée de perdre de l'argent! À Alexane, il a demandé de tracer sur son miroir une silhouette féminine qu'elle juge objectivement acceptable; c'est ce qu'il a dit.

Florence s'étouffe dans sa barre tendre en faisant voler de petits morceaux d'avoine autour d'elle. Camille éclate de rire elle aussi, ce qui n'enraye en rien la pluie de céréales biologiques qui me tombe dessus. Moi, je ne ris plus, je pleure. Surtout parce que j'ai reçu une graine de lin dans l'œil, mais aussi parce que je constate qu'il y a décidément quelque chose qui ne tourne pas rond. Le rire de Florence devient de plus en plus fort dans mes oreilles. Mon cœur se met à battre plus rapidement. L'imminence d'une catastrophe me prend aux tripes. J'aimerais pouvoir me cacher dans un château mauve... tout de suite après avoir délogé la graine de lin de mon œil.

4
DES SOURCILS ET DES SOURDS

LUNDI SOIR 5 MAI

Après l'école, je rentre à la maison franchement abattue. En arrivant chez ma mère, je jette mon sac par terre, regarde autour de moi, réalise mon erreur, reprends mon sac, descends les escaliers et fais irruption chez mon père. Je n'arriverai jamais à m'habituer. Quand je me réveille le matin, je ne sais jamais où je me trouve. Mes deux chambres sont identiques, une idée de ma mère. Chaque matin, j'attends quelques minutes les yeux fermés avant qu'un rire idiot m'emplisse les oreilles. Soit il s'agit de celui de ma mère, qui s'efforce d'encourager Petit Poulet avec ses blagues périmées depuis 1985, soit c'est celui encore pire de Nancy, qui veut à tout prix beurrer les toasts de son chouchou. Ce n'est pas juste. Ça n'arrête pas de se minoucher à qui mieux mieux où que je sois.

Cette fois, je bute contre des valises et je me rends compte que mon frère et son chum sont encore en ville. Encore deux qui vont s'embrasser dans ma face, question de me rappeler que je suis loin d'avoir un chum. Peut-être que, si je me faisais refaire les seins... Quelle bonne blague !

Le souper de samedi chez ma mère a finalement amené la nouvelle qui ne nous a pas surpris du tout. Mon frère nous l'a annoncée avant que son chum arrive, afin d'éviter un éventuel malaise. Mais il n'y a pas eu de malaise, ou presque. Jean-Maurice semblait tellement à l'aise que ça en devenait louche. Il s'est mis à énumérer sans respirer tous les homosexuels qu'il connaît. Personne ne voyait trop à quoi ça menait. De connaître une panoplie de gais ne prouve en rien que vous n'êtes pas homophobe ; ce serait même plutôt le contraire. Non pas que je croie que Jean-Maurice le soit, mais son attitude montrait nettement qu'il aurait préféré faire la vaisselle. Le problème, c'est qu'on n'avait pas encore commencé à manger.

Bref, moi, j'étais vraiment contente d'enfin rencontrer le fameux coloc. Je dois avouer que, n'ayant jamais eu de sœur, j'avais rêvé du moment où j'aurais enfin une belle-sœur qui serait de mon bord lors des discussions familiales. Avec Léandre, c'est presque comme si j'avais une belle-sœur. Même que je dirais qu'il a des caractéristiques féminines plus marquées que les miennes, comme son obsession pour son apparence physique et son amour inconditionnel du même genre de revues que celles que ma mère aime. Dans ce domaine-là, il a marqué un point. Elle et lui n'arrêtaient pas de s'envoyer des traits d'humour concernant la situation amoureuse ou les lubies de tel ou tel acteur hollywoodien. C'est même, je dirais, ce qui a facilité son introduction dans la famille. Tant mieux si ce genre de lecture insipide et abrutissante peut servir à quelque chose.

Bon, je n'en suis plus là. J'arrive à l'appartement de mon père et d'étranges bruits parviennent à mes oreilles. On dirait le couinement du réfrigérateur. Je réalise rapidement que ce son agaçant provient d'un être humain qui est… dans la salle de bain. J'hésite entre retourner chez ma mère en courant ou coller mon oreille à la porte, quand les bruits se font plus clairs. Il n'y a pas de doute possible sur la nature des cris que j'entends. Je suis figée sur place. Que mon frère soit gai ou hétéro, ça m'importe peu, mais je n'ai pas envie d'être témoin de démonstrations d'affection de mes proches, surtout quand elles sont perpétrées dans une pièce que tout le monde utilise. Mais je suis incapable de m'en aller. Sacrée curiosité malsaine! OK, je l'avoue, moi aussi je les lis, les revues de ma mère.

Quand j'entends un cri long et douloureux, je décide de prendre mes jambes à mon cou, mais, bien sûr, je m'accroche dans le maudit tapis à poil long vieux rose que ma mère a choisi pour mon père et je fais un boucan d'enfer en tombant. La porte de la salle de bain s'ouvre aussitôt. La scène que j'y découvre est encore pire que celle que j'imaginais. Un large sourire se dessine sur le visage de Léandre, qui me demande:

— C'est ton tour après, Cendrine?

Je songe à déménager dans un pays où la pince à épiler est interdite et vois dans les yeux de mon frère qu'il pense exactement comme moi en ce moment, lui qui a une moitié de sourcil épilée par amour. C'est plus fort que moi, je sors de l'appart en claquant la porte, descends quinze marches et ouvre une autre porte. Décidément, ça en devient une habitude. Sauf que, cette fois-ci, c'est chez ma grand-mère que je me réfugie.

Je claque aussi la porte de chez elle, par pur plaisir de savoir que je ne me ferai pas chicaner. Quand j'étais petite, j'en profitais ; je mettais le son de la télévision au maximum jusqu'à ce que les voisins viennent se plaindre. Ma grand-mère prenait alors un air faussement fâché et me demandait gentiment de baisser le volume. Elle n'a jamais été capable de me gronder. J'essayais de lui expliquer que je n'avais pas le choix de monter le volume aussi haut, puisqu'elle et ses amis sourds-muets m'empêchaient d'entendre la télé. C'est vrai ! On pourrait croire le contraire, mais un party de sourds-muets, c'est extrêmement bruyant. Comment pensez-vous qu'ils s'interpellent les uns les autres ? Même s'ils n'entendent pas les sons, ils perçoivent les vibrations. Alors, ils frappent du pied par terre ou du plat de la main sur la table pour attirer l'attention de la personne à qui ils s'adressent. De plus, la plupart des sourds-muets ne sont pas tout à fait muets. Une espèce de filet de son étrange sort de leur gorge. Dans le feu d'une discussion animée, ils émettent un genre de cri guttural qui me faisait peur quand j'avais quatre ans. Je trouvais alors rassurant, au milieu de ce vacarme, d'écouter mes films préférés à tue-tête sans que personne s'en rende compte. Ce sont les avantages d'avoir une grand-mère comme la mienne.

Dans son logis, il y a des boîtes partout, mais aucune trace d'elle. Quoique j'entends un bruit familier. Je me dirige vers le son de la machine à coudre. Au milieu d'une pièce, au centre d'un tas de boîtes à peine défaites, mamie est concentrée sur un morceau de tissu. Je marche très fort sur le plancher pour qu'elle sente la vibration de mes pas. Mes parents m'ont appris très jeune à montrer des signes de ma présence pour que ma grand-mère sache où je suis dans la maison. Ils m'ont aussi appris, dès l'âge de deux ans, qu'elle devait me regarder pour me comprendre lorsque je lui parle. Je ne m'en souviens pas, mais il paraît que tout le monde me trouvait tellement mignonne de lui prendre le visage avec mes petites mains avant de lui adresser la parole ! J'aimerais bien encore parfois que mes parents me trouvent tellement mignonne. On dirait que ce qualificatif a plutôt été troqué contre des adjectifs en « -euse », comme « traîneuse », « obstineuse » ou « placoteuse ». Mais, aux yeux de ma grand-mère, j'ai l'impression que je suis encore un peu mignonne. C'est peut-être pour ça que je l'aime tant.

Sans lever les yeux de sa machine à coudre, elle m'adresse un sourire. Après avoir gagné contre le bout de tissu qui semblait lui résister, elle se lève pour m'embrasser.

— *Comment ça va* ? me dit-elle d'un mouvement du pouce.

— *Je vais mal !* répliqué-je en portant le pouce vers le bas.

Elle a un mouvement de la main, les doigts vers le corps.

— *Pourquoi ?*

Je pointe mes sourcils. Elle éclate de rire et, main ouverte, tourne le pouce vers son menton.

— *Ta mère ?*

— *Mon frère*, dis-je dans un mouvement des doigts qui font le chiffre deux et qui vont du front vers l'autre main.

Elle me regarde avec un point d'interrogation dans les yeux. Je me rends compte que je ne connais pas le signe pour « petit ami » et encore moins celui pour « homosexuel ». Je lui fais signe de laisser tomber en souriant. Je n'ai pas du tout envie de commencer à expliquer. C'est un peu ce qui arrive dans la communication entre les entendants et les sourds ; on laisse tomber les sujets compliqués parce que tout est plus long. D'un côté, ça donne des relations tellement simples, basées sur le moment présent. De l'autre, les gens comme ma grand-mère se sentent un peu mis à l'écart et finissent par être très souvent dans leur tête. C'est peut-être là que j'ai puisé ce trait de ma personnalité. Mon père dit souvent que je fais de la surdité sélective. Il n'a pas tort.

Mamie fait une corne sur son front avec son pouce et son petit doigt, suivie d'une espèce de balayage de son menton avec les doigts. Ce sont les deux premiers signes que j'ai appris : lait et chocolat. Peut-être que ma relation avec ma grand-mère est principalement basée sur le sucre et le réconfort. Je crois qu'il s'agit de synonymes !

—— ⋆ ——

De retour chez mon père, je demande conseil à mon frère et à son chum, en tentant de toutes mes forces de ne pas pouffer de rire à la vue du mauvais travail d'esthéticien de Léandre, mais en me disant : « Pour une fois que c'est moi qui ris des sourcils de quelqu'un d'autre… » Comme je ne connais pas vraiment l'univers de la chirurgie plastique et que Léandre étudie dans ce domaine, je lui demande s'il connaît les règlements concernant l'âge légal pour avoir recours à l'augmentation mammaire. Mon frère lève ce qu'il lui reste de sourcils.

— C'est la seule façon que tu as trouvée pour te faire un chum ?

— Pis toi, monsieur Sourcil, c'est la seule façon que tu as trouvée pour garder un chum ?

— …

— C'est pour une recherche à l'école.

Léandre m'explique que la plupart des chirurgiens refusent d'opérer les mineures, étant donné que leur croissance n'est pas nécessairement terminée et que leur décision risque de ne pas être éclairée par un raisonnement mature. Certains chirurgiens de cliniques privées, surtout aux États-Unis, acceptent de faire une augmentation mammaire à des filles de seize ans si elles ont l'approbation de leurs parents, moyennant un prix exorbitant, bien sûr.

C'est bien ce que je croyais. Mais qui a bien pu approuver la décision de Jessifée ? Il faut que ce soit ses parents, puisqu'ils ont nécessairement remarqué le petit changement chez leur fille. Mais Jessifée dit toujours que ses parents ne sont jamais là et qu'elle peut faire ce qu'elle veut. Peut-être qu'ils ne s'en sont même pas rendu compte ? Il va falloir que j'investigue. Ça ne va pas être très difficile, puisqu'elle meurt d'envie d'être au centre de l'attention. Toutefois, si sa transformation a quelque chose à voir avec le dossier sur lequel travaille Jean-Maurice, je doute qu'elle soit si loquace.

Je demande à mon frère s'il a pensé rendre visite à mamie avec Léandre. Il semble embarrassé. Comme il est plus vieux que moi, notre grand-mère n'était pas encore à la retraite lorsqu'il était tout jeune. Il est donc allé à la garderie et ne connaît presque pas le langage des signes. Il est plutôt maladroit avec elle. Vu sa nouvelle situation, je ne crois pas qu'il soit prêt pour une séance de lecture sur les lèvres. Il marmonne une excuse bidon et se dirige vers la porte. Je le soupçonne de vouloir partir le plus vite possible pour éviter de croiser ma mère dans les escaliers et de se prendre un rendez-vous à la clinique pour qu'elle repasse sur le chef-d'œuvre de Léandre. Il attrape vivement ses sacs, en laisse échapper deux, s'enfarge dans le tapis, se cogne contre le mur et finit par ouvrir la porte. Je le mets en garde en riant :

— Attention ! Un appartement !

C'est un gag familier entre nous deux. Nous sommes tellement maladroits que même les murs de la maison deviennent des obstacles, que dis-je! des menaces. Il me sourit comme un grand frère, en ajoutant:

— T'es pas mieux.

C'est vrai, mais moi, il ne me manque pas une palette. Je ne peux pas m'empêcher de le lui rappeler. Il me fait un doigt d'honneur et quitte l'appartement.

Non, mais c'est vrai que mon frère est pire que moi. Dernièrement, dans un labo à l'université, il a créé tout un émoi. Il s'est pris le doigt dans une armoire et, comme ça faisait très mal, il s'est dit qu'un peu d'eau froide l'aiderait. En mettant son doigt sous l'eau, le choc a été trop grand et il s'est évanoui. En se cognant au passage les dents sur le comptoir en céramique, il est tombé par terre sur le ciment et a fait une commotion cérébrale. Il est reparti de l'université en ambulance et il a un rendez-vous chez le dentiste cette semaine. Il n'a vraiment pas besoin d'un rendez-vous à la clinique de ma mère en plus.

5
DES MATHS ET DES SORCIÈRES

MARDI MATIN 6 MAI

Ce matin, j'ai un cours de math. Je déteste les maths. Bon, pas autant que l'éducation physique, mais quand même! D'accord. Mettons que je haïs l'éducation physique et que je déteste les maths, même si j'arrive à avoir de bonnes notes, et ce, sans tricher. Si jamais un coup de vent providentiel réalisait le souhait le plus cher des gars de l'école de gars d'à côté en soulevant toutes les jupes des filles d'un seul souffle, on découvrirait que la grosse majorité d'entre elles se servent de l'envers de leur horrible jupe comme support pour y inscrire un nombre impressionnant de formules mathématiques. Mais pas moi. Je vous l'ai dit, j'ai horreur des conflits; je suis donc beaucoup trop moumoune pour tricher.

J'arrive en même temps que Florence et Camille. Aussitôt dans la classe, j'entre complètement dans la lune, encore toute pleine de mon rêve. Je me sens franchement insultée par mon propre inconscient. Il y avait longtemps que j'avais fait un rêve comme tout le monde. Je veux dire que c'est la première fois depuis longtemps que je n'avais pas la conscience de rêver et que je n'avais la maîtrise de rien du tout. J'ai l'impression d'avoir régressé. Toutes ces semaines d'efforts pour en arriver à un vulgaire rêve de personne normale ! Non pas que je croie que je suis si exceptionnelle, mais quand même, vous en connaissez beaucoup, vous, des gens qui peuvent régenter leurs rêves ?

Nous repérons nos places habituelles. Je note au passage que Jessifée fait des mouvements exagérément restreints, encombrée par ses immenses seins ou par ses trente-huit couches de mascara vert. Oui oui, vert ! Nous passons devant Annabelle, que nous saluons joyeusement. Elle nous rend à demi notre sourire, préoccupée par des monstres imaginaires sous son pupitre. Ah ! Mais non, dommage ! il s'agit d'un iPhone comme la plupart des filles de riches de ma classe en ont un. Ces objets sont toutefois interdits en classe. Sacrée Annabelle ! Elle est si sage et discrète que les profs ne pensent même pas à la soupçonner d'activités illicites. Mais depuis quand Annabelle a-t-elle un iPhone ? Peut-être qu'elle a économisé tout l'argent que ses parents lui donnent pour dîner depuis trois ans ! Ça expliquerait ses lunchs, en tout cas. Camille fait ça, parfois. Elle garde l'argent que son père lui donne pour la cafétéria et elle se fait un lunch en cachette.

De toute façon, personne n'osera demander à Annabelle comment elle s'est offert cet objet de luxe. Nous ne savons rien d'elle, sinon qu'elle a un frère plus vieux et une sœur plus jeune et que son père est parti il y a très longtemps. Chaque fois que quelqu'un a risqué une question personnelle à son sujet, elle l'a détournée avec une bonne blague. Ça me laisse toujours une impression désagréable dans le ventre de voir tout le monde rire aux éclats alors qu'Annabelle vit peut-être des drames familiaux qui la tuent à petit feu. J'ai peut-être trop d'imagination ! Mais, ce matin, je me fous de tout cela ; je vis un échec personnel grave. Je dois en parler.

— Vous voulez savoir à quoi j'ai rêvé ?

Aucune réponse. Camille dessine et Florence boude.

— Wouhou ! Vous m'avez entendue ?

— Oui, c'est juste qu'on veut pas savoir à quoi tu as rêvé, me répond Camille avec un sourire baveux.

— Tu as rêvé que tu mangeais ton chien en faisant du cheval sur un parapluie géant pendant que toute la classe dansait dans un cimetière en fumant de la ciboulette ?

Florence ne rit même pas de sa propre blague. C'est que ça pourrait être tout à fait le genre de rêve que je fais. C'est vrai que, vue de l'extérieur, j'ai l'air bonne pour l'asile.

— Ha, ha, ha ! Non. J'ai rêvé que… Premièrement, je tiens à mentionner que je savais même pas que je rêvais. J'étais dans la classe et…

— Non ? font Florence et Camille en chœur.

— Tu dois être insultée d'avoir été abaissée à notre niveau, ajoute Florence, cynique.

Je ne sais pas pourquoi, mais je suis ce qu'on pourrait dire facile à écœurer. Une chance que je suis sympathique, un peu drôle, pas du tout grosse et pas trop laide, sinon je serais la cible idéale de l'intimidation. Florence dit qu'en racontant trop ma vie, je donne des munitions à tout le monde. Je ne comprends juste pas pourquoi tout le monde considérerait des informations personnelles comme des munitions. C'est à croire que, pendant que ce même tout le monde recevait le gène de la méchanceté, j'étais retenue chez le distributeur du gène de la mémoire.

— Donc, je disais que j'ai rêvé que j'étais dans la classe, dans le cours de math exactement comme aujourd'hui, et toutes les filles se mettaient à sortir de la classe une à une, silencieusement. Moi, je me demandais ce qui se passait. Je regardais tout le monde, mais les filles avaient l'air bien normales. Personne ne répondait à mes questions et elles continuaient à sortir calmement jusqu'à ce qu'il ne reste plus que moi dans la classe, incapable de me lever de ma chaise.

Silence. Florence et Camille savent que je vais enchaîner moi-même avec mon interprétation ; alors, elles attendent sagement, sachant très bien qu'elles ne s'en sortiront pas. Juste pour voir si elles suivent un peu, j'annonce :

— Je sais pas pantoute ce que ça veut dire.

— C'est pas compliqué, répond Florence sur le ton le plus banal qui soit : tu te sens rejet parce que tu es la seule qui va chez Gargamel mais qui n'a pas vraiment de problèmes. En tout cas, pas de problèmes alimentaires.

Elle accompagne sa vacherie d'un grand sourire. Je sais que ce n'est pas dit méchamment, mais je suis un peu soupe au lait. C'est peut-être parce que ça marche à tout coup que mes amies s'amusent souvent à me faire fâcher. Je m'apprête à répliquer quand je réalise qu'au moins Florence ne pense plus que je suis peut-être boulimique. Ça prouve qu'elle est moins de mauvaise foi qu'hier. Mais tout de même ! Me sentir rejet parce que je ne suis pas aussi malade mentale que les Girafes…

— Raté ! Si je me sens rejet, c'est sûrement pas à cause du con qui se prend pour un psychologue, mais plutôt parce que personne m'a invitée officiellement au party chez Jolianne.

Jolianne, c'est celle chez qui ont lieu tous les partys. Ses parents sont souvent en voyage et leur sous-sol est à moitié fini, dans les deux sens. Dans toutes les pièces, il y a une espèce de tapis vert-mal-de-cœur sur lequel on peut laisser échapper n'importe quoi sans que ça paraisse, même du vomi. C'est sur ce tapis-là que, à l'Halloween, j'ai rendu mes quatre vodka-jus-tropical-aux-probiotiques, c'est-à-dire la seule chose que j'avais trouvée chez ma mère, pendant que Florence était plus belle et plus en couple que moi. Comme à son habitude, Annabelle, qui ne boit pas, était toute disposée à jouer les infirmières. Elle vient

à chaque party, mais elle ne semble pas particulièrement s'y amuser. C'est très étrange. Elle
reste assise au même endroit et fait des blagues
avec qui veut bien s'asseoir à côté d'elle, mais
jamais elle ne tente de rencontrer de nouvelles
personnes. En fait, ce que je veux dire, c'est qu'Annabelle ne semble pas du tout intéressée aux gars.

— Ben voyons donc! Pourquoi t'as besoin
d'un faire-part? me demande Florence sur un ton
de reproche. Il y a un party chez Jolianne vendredi
soir, tout le monde est invité comme d'habitude.
C'est quoi, le problème? Moi non plus, j'ai pas
reçu d'invitation officielle, mais je fais pas de
cauchemar pour autant.

— Ben, je sais pas, c'est juste que, d'habitude,
y a au moins quelqu'un qui dit quelque chose
comme: «Hé! Cendre, tu viens au party vendredi?» Là, y a personne qui a dit ça; ça fait que
j'ai comme l'impression que je suis rejet, pis...
Ah! laisse donc faire!

Au mot «party», Camille sort des limbes. Parfois, je crois qu'elle a la faculté de dormir les yeux
ouverts.

— Hé! j'ai entendu dire qu'il y a un party chez
Jolianne vendredi! Venez-vous?

Florence et moi soupirons en duo.

— Quoi? s'insurge Camille.

Je m'apprête à lui répondre quand le cours
commence, retenant toute son attention comme
c'est sa routine. Dans le temps de dire «vodka-
jus-tropical-aux-probiotiques», le tableau est déjà
presque rempli de formules qui me semblent
aussi compréhensibles que du japonais. Je prends

mon crayon à contrecœur et me mets à l'ouvrage. Pour la plupart des filles de ma classe, le grain de beauté au-dessus de la lèvre supérieure d'Antoine, le nouveau prof de math, suffit à capter leur attention. Moi, il m'en faudrait beaucoup plus pour éliminer la nausée que me cause un cosinus. Je commence plutôt à mettre au point ma stratégie pour en savoir plus sur le type de relations que Jessifée entretient.

Je suis en train de faire semblant de prendre de belles notes propres quand, tout à coup, on entend frapper à la porte de la classe. Toutes les filles lèvent la tête avec curiosité ou effroi, selon leur poids. Le prof va ouvrir discrètement, de façon à ce qu'on ne voie pas qui est derrière le battant. Il fait un léger signe de tête à Alexane, qui sort docilement. Le cours se poursuit comme si de rien n'était. Antoine continue d'écrire en japonais sur le tableau, mais mon peu de concentration s'est évaporé. Je tente de regarder par la vitre de la porte, mais je ne vois rien. Je n'entends rien non plus. Alexane a dû être demandée chez la directrice pour une enquête préliminaire sur la fréquence ou la couleur de son pipi ou je ne sais quelle autre intrusion humiliante dans ses secrets. Je me tortille sur ma chaise. J'essaie d'attirer l'attention de Florence, qui reste de glace en prenant sagement des notes alors que je sais très bien qu'elle me voit et devine ma curiosité.

Soudain, aussi prestement que si elle s'était fait mordre une fesse par une des formules mathématiques inscrites sous sa jupe, Alexandra se lève et sort de la classe. Le beau Antoine n'a même pas le temps de réagir qu'elle a déjà disparu dans le corridor. Je vois qu'il hésite entre la poursuivre et rester là pour surveiller les autres. Une angoisse subtile part de mon ventre et grimpe lentement le long de mon œsophage. C'est ensuite au tour d'Ariane de sortir en trombe, en ignorant les menaces de l'Apollon qui nous sert de prof. Puis de Marianne et de Géraldine. Ce prénom impose aussitôt à mon esprit un dialogue du genre : « — Quel beau bébé ! Et si on l'appelait Gérâââre ? — C'est une fille, madame. — Alors on va l'appeler Géraldine ! »

Pendant la cohue qui suit, j'interpelle Florence pour savoir ce qui se passe. Elle darde sur moi un bref regard coupable avant de se lever brusquement. J'ai eu le temps de constater qu'elle a les larmes aux yeux. Elle sort elle aussi de la classe.

Non ! Florence désobéit à un professeur ! Elle va en entendre parler. Ses parents sont très sévères. Très gentils, mais très stricts. Ils ont ce qu'ils appellent des principes.

C'est le bordel dans la classe. Antoine a totalement perdu la maîtrise du groupe et il ne sait plus quoi faire. Toutes les filles jacassent et y vont de leur interprétation personnelle sur le comportement girafien auquel nous venons toutes d'assister.

— Il paraît qu'elles vont être expulsées de l'école !

— Non !

— Il paraît qu'elles font partie d'un club privé et qu'elles font des rencontres secrètes !

— Ah oui ?

— Moi, je les ai vues au parc en fin de semaine ; elles étaient en train de brûler des affaires dans une poubelle. Je pense qu'elles font du vaudou pour gagner les finales.

— Ça a ben de l'allure, ce que tu dis, y en a une gang qui sont pas trop en forme. Elles vont avoir besoin de magie noire si elles veulent leur belle 'tite médaille !

Certaines ouvrent même la porte et s'aventurent dans le corridor pour tenter d'apercevoir les évadées des maths. Camille me regarde avec un air semi-admirateur, semi-effrayé.

— Pourquoi tu me regardes comme ça ?

— Ton rêve, Cendrine ! C'est ton rêve ! Tu as réussi. Tu fais des rêves prémonitoires !

Ah ? Ainsi, Camille écoute parfois quand on lui parle. Elle a raison, l'angoisse qui poursuit son ascension vers ma gorge est exactement celle que je ressentais dans mon rêve. Sauf que, là, ce n'est pas parce que je me sens rejet d'être seule dans la classe. Bien, peut-être que je me sens un peu rejet, mais c'est plutôt parce qu'habituellement Florence me raconte tout ce qui se passe dans son équipe. Depuis quelque temps, j'ai l'impression de ne plus être la confidente de ma meilleure amie. Conclusion logique, ce n'est plus ma meilleure amie, parce qu'une meilleure amie, ça nous raconte tout. Je suis soudain très, très déprimée. Tellement, que je passe totalement à côté de la joie que devrait me procurer le fait de faire maintenant des rêves prémonitoires. Camille, elle, est tout énervée.

— Tu te rends compte, Cendrine? Peut-être qu'à partir de maintenant tu vas prédire l'avenir! Hé! si tu fais un rêve à propos du party de vendredi pis que je suis dedans, tu me le raconteras, OK? Tout le monde, écoutez-moi: Cendrine prédit l'avenir!

— Ta gueule, Camée!

Et ça repart.

— Peut-être que Cendrine leur donne des cours de sorcellerie?

— C'est vrai, ça! C'est toujours Cendrine qui amène le sujet des fantômes et de la télé… pa… ki… nésie… en tout cas, elle doit en connaître pas mal là-dessus!

— Mieux que ça! Peut-être que Gargamel, c'est même pas un vrai psychologue et que, dans le fond, il donne rendez-vous aux Girafes dans son bureau pour leur apprendre la sorcellerie!

— C'est vrai, ça! Faut pas oublier que Gargamel, c'est un sorcier!

Rire généralisé. Franchement! À part le fait que Gargamel doit effectivement être un faux psychologue qui a trouvé son diplôme dans un Kinder Surprise, tout ça, c'est du n'importe quoi. Ça dérape, ça s'emballe, ça se croit, ça ne sert plus à rien de donner un cours de math. Je devrais être super contente d'avoir enfin atteint le stade des rêves prémonitoires, mais je suis trop déprimée de ne pas comprendre les larmes dans les yeux de Florence. J'ai le goût de pleurer moi aussi. Je pense que je vais sortir de la classe pour aller aux toilettes. Au point où on en est…

Les Girafes ne sont pas venues au deuxième cours de la matinée. Inutile de dire que l'excitation était à son comble et que la prof d'anglais parlait dans le vide. J'ai honte de l'avouer, mais moi aussi j'étais un peu excitée. Excitation mêlée de peine, bien sûr. Les cours de la matinée terminés, Camille dîne avec son père, alors que Florence est toujours absente. Avant d'aller manger à la cafétéria sans mes deux meilleures amies, je suis allée au labo d'informatique, où j'ai décidé d'écrire un courriel à Florence. J'ai beau avoir une grande gueule, quand il s'agit de parler des vraies affaires, je préfère les courriels. C'est peut-être moche, mais c'est comme ça. Je pèse mes mots.

À : Florence
Objet : ?

Salut, Flore,
Depuis ce matin, je n'arrête pas de penser à ce qui s'est passé dans la classe. Je ne veux pas nécessairement que tu me révèles tous les secrets des Girafes, mais j'aimerais bien savoir pourquoi ma meilleure amie ne me raconte plus rien, surtout quand elle a l'air triste. Je vais comprendre si tu ne veux pas me le dire, mais je vais avoir de la peine. Réponds-moi vite,
Cendre

91

P.-S. – Je n'essaie pas de te mettre de la pression, mais je m'ennuie de ma meilleure amie.

J'éprouve une sensation de vertige à l'idée de perdre l'amitié de Florence. Elle est même plus que ma meilleure amie, elle est la sœur que je n'ai jamais eue. Nous avons vécu tellement d'aventures ensemble que nous en avons presque développé un langage, ainsi que quelques amis imaginaires que nous sommes seules à voir. Un simple mot qui paraît insignifiant contient tout un monde et peut nous donner un fou rire interminable, au grand désarroi de Camille, qui n'y comprend jamais rien et qui s'en offusque. C'est surtout au chalet qu'il nous est arrivé les aventures les plus rocambolesques.

Parce que, évidemment, en plus d'avoir des principes et beaucoup d'argent, les parents de Florence ont un chalet à la campagne, sur le bord d'un lac. Le rêve, quoi! Il n'y a aucune comparaison possible entre mes éternelles vacances sur le bord de mon ex-piscine hors terre et les séjours de rêve à leur chalet. J'y vais plusieurs fois par été depuis que j'ai six ans.

Une fois, les parents de Florence ont annulé la fin de semaine au chalet à la dernière minute à cause du mauvais temps. On devait avoir huit ou neuf ans. Flore et moi étions tellement fâchées que nous avons décidé d'y aller toutes seules. Florence m'avait dit qu'elle connaissait le chemin par cœur et que c'était faisable à bicyclette, mais que ça allait être long. Elle savait aussi que la clé du chalet se trouvait dans une fausse roche dans la rocaille. Je me doutais bien que c'était une idée saugrenue, mais j'avais envie de lui faire confiance et surtout de partir en mission avec elle. Nous avons passé notre enfance à nous inventer des missions. En fait, même à quinze ans, nous partons encore de temps en temps en mission, mais il s'agit maintenant d'espionnage dans les partys.

Nous avons donc préparé notre petit bagage : pyjama, sandwichs, biscuits. Nous étions tout à fait sûres de nous, convaincues que nous pouvions, avec nos petites jambes et nos vélos roses, franchir les cinquante kilomètres qui nous séparaient de son chalet. Nous avions à peine descendu le boulevard qui passe pas trop loin de chez elle que la pluie qui tombait depuis la veille s'est transformée en déluge. Les vélos dérapaient dans l'eau qui montait à vue d'œil, mais nous avons tenu bon. Nous avions pensé à mettre nos imperméables roses et rien ne pouvait nous arriver.

Nous nous sommes rendues jusqu'au pont, qui, c'est la faute à pas de chance, était inondé pour la première fois depuis belle lurette. Nous nous sommes donc retrouvées au centre d'une mission sauvetage malgré nous, nous qui pensions vraiment que nous pouvions, en descendant de nos vélos, franchir la piscine olympique qu'était devenu le pont. Nous ne nous étions jamais aventurées aussi loin de la maison. Le plus drôle, quand j'y repense, c'est que j'aie eu la conviction que nous étions presque arrivées à destination, alors que nous n'étions même pas près d'arriver à l'autoroute.

Dans la voiture de police qui nous ramenait à la maison, entre deux sanglots, nous avons fait le pacte que, dès que nous aurions un permis de conduire, nous irions passer du temps là-bas elle et moi, sans ses parents. Mes parents n'ont pas assez d'argent pour me payer des cours de conduite, mais Florence, elle, en sera bientôt à faire son examen. Cependant, si j'en crois l'état de notre relation, je me demande si nous réaliserons notre projet un jour. Peut-être que Florence préférera aller au chalet avec son beau Tristan! Mon vertige s'accentue à l'idée d'être privée, dans le futur, de ces précieux moments.

C'est vraiment une journée de merde, aujourd'hui. Tant qu'à faire, je vais aller manger avec Jessifée ; ça ne peut pas être pire.

Comme à son habitude, Jessifée squatte un groupe de filles à la cafétéria et distribue des éclats de rire à gauche et à droite, même si elle ne suit pas du tout la conversation. Pendant un instant, elle me fait pitié. Tout ce qu'elle fait pour attirer l'attention ! Je ne peux m'empêcher de loucher vers son immense poitrine. Est-ce que je suis la seule à l'avoir remarquée ? Je n'ai vu personne lui poser de questions à ce propos.

Les filles qui sont gratifiées de la présence de Jessifée aujourd'hui lui ressemblent : trop de mascara, trop de rouge à lèvres, trop de voix aiguës, trop de rires artificiels, trop de détails intimes dont on se passerait, surtout quand on ne participe même pas à leurs discussions portant éternellement sur le sexe. Ah ! mais qu'est-ce qu'Annabelle fait avec elles ? C'est la première fois que je la vois avec les fumeuses. Mais, bon, Annabelle est comme ça. Elle butine de groupe en groupe, de sorte qu'elle est amie avec tout le monde et personne à la fois. Jessifée est pareille. La différence, c'est que Jessifée, elle, tape sur les nerfs de tout le monde, et de tout le monde à la fois.

Je m'assois non loin d'elles, toute seule, et fais semblant de réviser pour un examen imaginaire ; décidément, je suis rejet pour vrai. Je leur jette des coups d'œil furtifs en luttant contre la nausée qui m'envahit, provoquée par leur abus de produits coiffants ou l'insignifiance de leurs propos, selon le cas. Je balaie aussi la cafétéria du regard, question de ne pas avoir l'air de ce que je suis, une espionne.

Les petites-filles-à-papa grignotent des fruits du bout des lèvres en parlant très sérieusement ; leurs grands yeux bleus approuvent gravement les propos des autres. Elles ont déjà l'air d'un groupe de divorcées qui s'apitoient sur le montant de leur pension alimentaire. Ce qu'elles peuvent se croire, quand même ! J'ai toujours trouvé que de passer ses midis sans une douzaine de fous rires à se faire sortir le jus par le nez est l'élément décisif d'une vie trop triste.

Les rebelles font le tour de la cafétéria pour récolter les passes d'autobus de celles à qui les parents, comme les miens, interdisent d'aller flâner au centre-ville le midi.

Les Girafes finissent leur pop-corn et se lèvent soudain toutes en même temps, prêtes à aller se faire vomir dans leur vestiaire chéri.

Je réalise tout à coup que je suis la seule à manger un vrai lunch. Je me sens presque obscène, déplacée d'exhiber de la sorte la preuve irréfutable que je possède un diabolique système digestif qui transformera les aliments en énergie ou, comble de malheur, en graisse. Quelle honte !

Afin de connaître le sujet de conversation de Jessifée et de ses amies impromptues, je m'approche un peu en faisant semblant d'hésiter entre une galette aux brisures de chocolat et un brownie. C'est que les plateaux de friandises sont toujours pleins, depuis quelque temps. Mais quelle surprise ! Les filles parlent de la sortie remarquée des Girafes.

— Elles sont peut-être juste malades.

— Toute la gang ?

— Ben oui, elles sont toujours ensemble ; c'est sûr qu'elles se passent aussi leurs bibittes.

— Les bibittes qu'elles ont dans le cerveau, oui !

— Peut-être qu'elles ont une ITS ?

— Ah oui ! Elles ont toutes la chlamydia !

— C'est parce qu'elles couchent toutes avec Gargamel !

Les filles sont pliées en deux.

— Non, je le sais ! Si elles couchent avec Gargamel, c'est des champignons qu'elles ont !

— Ha, ha, ha !

Euphorie généralisée. Les filles rient tellement qu'elles n'entendent même pas Jessifée qui essaie à tout moment de faufiler son séjour en chirurgie plastique dans les seules ouvertures qu'elle est seule à voir.

— Ça me fait penser à quand j'étais sur le bord de me faire anesthésier pour ma chirurgie… C'est comme moi après ma chirurgie… Et ainsi de suite.

Mais personne ne s'intéresse à ses seins. Pauvre Jessifée !

Depuis quand ai-je de la pitié pour elle, moi ? Ce doit être ma chicane avec Florence qui me fait cet effet… Mais qu'est-ce que je dis là ? Je ne me suis même pas chicanée avec Flore. J'ai pourtant la même impression désagréable que lors des rares fois où nous nous sommes brouillées.

Je me joins au groupe en feignant un sourire. Tout le monde se connaît dans cette petite école et on me fait sur-le-champ une place. Jessifée se tourne automatiquement vers moi ; elle me connaît mieux que les autres, vu notre passé commun dans les cours de gardiennes averties. Elle, ça lui suffit pour croire que nous sommes de grandes amies. Et moi ? Eh bien, moi, je n'ai jamais eu le courage de lui faire comprendre le contraire. Ce que je suis mauviette !

Je la prends un peu à part, ce qui est à peine remarqué par les autres filles, qui continuent de déblatérer sur les possibles maladies des Girafes. Elles en sont à trouver des noms de vétérinaires originaux. Il n'y a qu'Annabelle qui semble écouter d'une oreille notre conversation, tout en poursuivant sa relation passionnelle avec son iPhone. Je m'adresse à Jessifée avec une fausse désinvolture.

— Pis, ça se passe bien, ta convalescence ? que je demande sur un ton léger de très mauvaise comédienne.

— Ah oui, super bien ! Dans une semaine, je vas être capable de lever les bras et de soulever des objets pas trop lourds !

— Ah, c'est bien, ça ! Pis, euh… tes parents, ils prennent ça comment ?

— De quoi tu parles ?

— Ben, pour ta chirurgie, là.

— Ils prennent bien ça. Tu sauras que mes parents sont vraiment cool et que tout ce qu'ils veulent, c'est mon bonheur. OK ?

Elle ment incroyablement mal. J'ai touché une corde sensible.

— Ils te trouvent pas un peu jeune pour…

— Pour quoi, hein ? Pour être heureuse ? Pour avoir confiance en soi ?

— En moi.

— Quoi ?

— Confiance en moi.

— Pourquoi j'aurais confiance en toi ?

— Non. Je veux dire, on dit «avoir confiance en soi», mais quand tu parles de toi, tu dis « moi ».

— Pourquoi je dirais « toi » quand je parle de moi ?

— Mais non ! C'est juste que quand tu commences une phrase à la première personne…

— Eille, quand j'aurai besoin de récupération en français, j'vas t'avartir.

Justement. Elle devrait *m'avartir* maintenant, d'après moi. Mais, bon, je dois me taire. Jessifée a maintenant la couleur de son rouge à lèvres et je

sais que si je provoque une de ses crises d'hystérie, je n'obtiendrai rien d'elle.

— Prends pas les nerfs! On peut parler d'autre
chose, si tu veux.

— Ouin, pourquoi il faut toujours parler de
moi, hein? Des fois, je trouve ça fatigant, de toujours être au centre de l'attention.

Elle est sur le point de mettre le revers de sa
main sur son front. Je n'ai jamais entendu une
énormité pareille. J'ai envie de quitter la table
tout de suite. Ça me met tellement mal à l'aise,
les gens qui manquent de lucidité sur eux-mêmes
à ce point! Mais j'ai envie de savoir qui l'a signée,
sa foutue autorisation parentale.

— Alors, euh… ton chum, il va bien?

— Rapport? Tu le connais même pas!

— Ben, justement, je m'intéresse au chanceux
qui sort avec toi!

OK, Cendrine, change de tactique, elle va se
rendre compte de quelque chose. C'est Jessifée,
quand même! Je me reprends.

— Ce que je veux dire, c'est qu'hier, quand
tu m'as parlé de ton chum, je me suis rendu
compte que je savais même pas que tu en avais
un.

Erreur! Jessifée a toujours un chum. C'est rarement le même, mais il y en a toujours un. Elle
nous casse toujours les oreilles avec ça. Avec ça
et le fait qu'elle les rencontre dans des bars. Avec
tout le maquillage qu'elle porte, elle n'a aucun
problème à se faire passer pour dix-huit ans, et ce,
depuis qu'elle en a douze. Avant que ça m'arrive
à moi… Moi, je serais plutôt du genre à pouvoir

infiltrer le groupe des trois et quatre ans dans un CPE.

Mais j'y pense, les bars… Mes soupçons ne font que prendre de la force. J'insiste.

— Tu m'as dit qu'il avait le même âge que Patrice Barré. Me semble que c'est un peu vieux pour toi, non ?

Elle prend un air très sérieux que je ne prends pas très au sérieux et dit, comme si elle récitait par cœur :

— Tu sais, Cendrine, l'âge réel n'a pas d'importance, c'est l'âge du cœur qui compte.

Pouah-ah ! Elle a dû entendre ça dans la bouche de sa grand-mère ou le lire dans un livre de croissance personnelle, comme ceux que ma mère lit toujours. Elle se pense très intelligente présentement, la Jessifée. J'ai envie d'y aller d'une petite menace déguisée :

— Je sais pas, mais mon beau-père policier m'a expliqué qu'à l'âge qu'on a, sortir avec un gars de trente ans, ça porte un nom : détournement de mineur. C'est super grave ; c'est même passible d'une peine d'emprisonnement pour l'individu majeur.

Moi aussi, je suis capable de faire du par cœur. En fait, ce que j'ai lu sur Internet, c'est que l'expression « détournement de mineur » n'existe plus et a été remplacée par la loi sur le consentement aux activités sexuelles. Mais ça sonne beaucoup plus criminel, non, détournement de mineur ? En plus, ça revient pas mal au même, d'après ce que j'ai pu en comprendre.

On gage que Jessifée ne connaît aucune de

ces deux expressions techniques? Je vois la panique poindre à travers son mascara couleur de morve.

— Ben, là, il est pas si vieux que ça. Il a vingt-deux ans. On a juste cinq ans de différence.

— T'as pas seize ans, toi?

— C'est ça que je dis.

— Ça fait six ans de différence, réponds-je, en me disant qu'elle devrait également penser à suivre des cours de récupération en math.

— Ben, c'est parce qu'en fait il va avoir vingt-deux en septembre prochain.

C'est fou ce que ça peut changer sa version des faits, une Jessifée, quand ça sent la soupe chaude. Même Annabelle réagit à ses incohérences. Elle semble de moins en moins absorbée par son petit joujou. En tout cas, cette histoire de prétendu chum me semble assez louche. Je crois que je suis sur une bonne piste.

— À l'âge qu'il a, il doit bien avoir un appart?

— Mets-en! Un super beau!

— Ah oui? Dans quel coin?

— Pourquoi tu veux savoir ça?

— Euh… ben, juste de même, là! Je me disais juste que si son appart est si beau que ça, il doit pas être dans le Centre-Sud!

— Berk! T'es malade? Je sortirais jamais avec un gars qui couche dans les coquerelles!

— Ça veut dire qu'il travaille, pour se payer ça? J'aurais pensé qu'il allait à l'université, à l'âge qu'il a…

— Il va y aller en septembre. Il attend juste… euh…

Je vois d'ici le sable mouvant dans lequel elle s'enfonce. Et si j'exagérais un peu, juste pour m'amuser? Je complète sa phrase, très sérieusement.

— D'avoir vingt-deux ans? Comme tout le monde le sait, il faut avoir cet âge-là pour aller à l'université.

Je fais un sourire complice à Annabelle, mais elle me regarde froidement.

— C'est ça! s'exclame Jessifée, soulagée que je lui aie donné la réponse qu'elle cherchait. Il attend d'avoir vingt-deux ans. En attendant, il fait de petites jobines.

Bien oui, genre recruter des adolescentes influençables qui rêvent d'une poitrine neuve?

— C'est quoi, ses petites jobines?

— Cout'donc, travailles-tu pour la police, toi?

Hum! j'ai un peu honte de le dire, mais, oui, présentement, je travaille pour Jean-Maurice. Ça me fait réaliser que je devrais changer de stratégie. Quelle piètre enquêtrice je fais! Je ne sais pas ce que j'ai pensé. Pourtant, je sais ce qui fonctionne avec Jessifée. Je ris très fort.

— Mais oui, c'est ça! On avait besoin de naines dans la police, ça fait qu'on m'a engagée! Non non, c'est juste que ça m'impressionne que tu sortes avec un gars de cet âge-là.

Je prends un air triste et ajoute:

— Tu sais, moi, j'ai presque jamais eu de chum.

S'il faut piler sur notre orgueil pour obtenir de l'information, allons-y gaiement! Je n'en suis pas à une humiliation près. Jessifée mord à l'hameçon.

— Je le sais, pôôôôôvre toi. Mais c'est pas de ma faute si je ferre toujours des gars plus vieux ; j'ai toujours été plus mature que les autres.

Ne pas pouffer de rire. Ne pas pouffer de rire. Trop tard.

— C'est quoi, là ? Tu ris de moi ?

— Mais non ! Je faisais juste repenser à une fois où j'ai eu vraiment l'air conne devant un gars plus vieux sur qui je tripais.

C'est n'importe quoi, mon affaire.

— Ah oui, hein ? Ça doit t'arriver souvent. En tout cas, moi, Cendrine, je te trouve vraiment bonne d'avoir un bon moral comme ça, parce que si j'avais jamais de chum comme toi pis qu'en plus j'avais pas de seins pantoute, je serais vraiment déprimée. Mais toi, tu es toujours de bonne humeur ! Tu sais, Cendrine, dans le fond, là, je t'admire !

Ne pas l'envoyer promener. Ne pas l'envoyer promener. Trop tard.

— C'est vrai que, quand on les paye, ses seins… D'ailleurs, comment tu as fait pour te payer ça, hein ?

— Euh… j'ai économisé !

— T'as même pas de job !

— Euh, je m'excuse, mais je garde des enfants !

— Toi, ça ?

— Ben oui ! Cout'donc, tu te souviens plus qu'on a fait nos cours de gardiennage ensemble ?

Et qu'elle a échoué ? Oui, je m'en souviens.

Note à moi-même : si jamais Jessifée a des enfants et qu'ils lui ressemblent, essayer de connaître leur nom pour ne jamais les laisser garder mes propres futurs enfants.

— Ben, là, ça coûte cher, la chirurgie… Ils te payent combien, cout'donc, les gens chez qui tu gardes ?

— Ben… le même salaire que tout le monde, là !

— Ah oui, vingt dollars l'heure.

Sourcil dubitatif d'Annabelle, mais toujours aucune ouverture pour un regard complice, contrairement à ce à quoi je m'attendais.

— C'est ça, oui. À ce prix-là, comme j'économise depuis que j'ai douze ans, j'ai réussi à me ramasser deux mille dollars.

D'accord. Je capitule. C'est de la fantaisie, cette histoire. Il n'y a maintenant plus aucun doute, ses seins sont louches. Jessifée semblait sincère quand elle disait qu'elle ne sortirait jamais avec un gars du Centre-Sud, mais tout le reste, c'est de la *bullshit*. Premièrement, ça me surprendrait énormément que son chum soit inscrit à l'université. Il est clair qu'il fait des jobines pas catholiques pour vivre. Deuxièmement, elle n'a manifestement jamais gardé d'enfants, à moins que je me fasse régulièrement avoir par Mme Sanschagrin. Troisièmement, à ma connaissance, des implants mammaires, ça coûte pas mal plus que deux mille dollars. Conclusion : ce n'est pas elle qui les a payés. C'est probablement son chum qui, quel que soit l'âge qu'il a, les lui a offerts comme cadeau avec l'argent qu'il gagne à faire ses fameuses petites jobines, qui consistent probablement en du recrutement de jeunes filles vulnérables. Je suis impressionnée par mon sens de la déduction.

La première cloche sonne, ce qui a pour conséquence de faire en sorte que Jessifée se précipite aux toilettes pour retoucher, que dis-je, pour empirer son maquillage. Je me lève et, maladroitement, j'essaie de signifier à Annabelle que je l'attends pour aller vers notre cours de physique. Elle me tourne le dos et, avec tout le doigté qui la caractérise, s'éloigne en m'ignorant royalement. Je ne comprends pas. D'habitude, elle est la première à prendre plaisir à se moquer de Jessifée. Mais qu'est-ce que j'ai fait?

6

DES GRANDMAISON ET DES TAMPONS

Quand je rentre chez moi ce soir-là, mes sentiments paradoxaux persistent. D'un côté, je suis tout énervée d'avoir peut-être repéré un des recruteurs dont Jean-Maurice m'a vaguement parlé. Mais, bon, j'attends d'avoir plus de preuves avant d'avancer quoi que ce soit. J'ai réussi à convaincre Jessifée d'emmener son chum au party de vendredi. Elle était tellement contente de voir que quelqu'un désirait sa présence chez Jolianne qu'elle m'a tout de suite répondu sans réfléchir :

— C'est certain.

Elle s'est même mise à énumérer tous les vêtements qu'elle pourrait me prêter pour que je sois présentable, comme elle l'a si bien dit, jusqu'à ce qu'elle s'exclame, avec une moue aussi exagérée

107

que faussement désolée, qu'elle n'avait rien à me prêter, finalement, puisqu'elle s'est débarrassée de tous ses chandails pour fille qui n'a pas de seins. J'ai eu très envie, pendant un instant, de la laisser s'étouffer dans ses prothèses mammaires, mais j'ai repensé à toutes les jeunes filles que je pourrais sauver. OK, je l'avoue, j'ai plutôt pensé à la popularité que je pourrais gagner si j'étais celle qui refilerait le tuyau aux policiers. Moi aussi, j'ai envie d'avoir de l'attention, bon !

J'avoue aussi que je ne suis pas certaine que ma façon de procéder est très professionnelle. D'inviter un recruteur à un party qui fourmillera de jeunes filles belles et naïves, ce n'est peut-être pas l'idée du siècle. Mais il n'est pas question que je rencontre ce gars dans un tête-à-tête-à-tête ; j'ai la chair de poule à la seule évocation d'une soirée seule avec Jessifée et son chum. Je ne puis non plus faire part de mes soupçons à Jean-Petit-Poulet-Maurice à ce stade embryonnaire de mon enquête

Ça y est. Troisième aveu, je me la joue super détective, je sais. Mais il est si rare qu'il se passe quelque chose !

Pendant que je réfléchis au média auquel je donnerai l'exclusivité de ma première entrevue, Florence revient dans mon esprit. C'est le côté négatif de la journée. Ma curiosité a beau être piquée par la raison qui a poussé les Girafes à sortir de la classe aujourd'hui, c'est l'angoisse qui domine. L'angoisse que ma relation avec Florence se soit détériorée, malgré que je pense que je n'y suis pour rien. Ce sont les maudites Girafes qui prennent toute la place dans sa vie. Elle est comme ça, Florence. Elle veut tellement aider les autres que parfois elle ne s'aide pas elle-même. En fait, je ne vois pas trop pour quelle raison elle aurait besoin de s'aider elle-même, puisqu'elle est parfaite. Ce que je veux dire, c'est qu'elle s'oublie elle-même, c'est ça! Elle ne pense plus à elle. Bon, OK, elle m'oublie, moi. Voilà, c'est dit. Je suis jalouse de l'énergie qu'elle met partout ailleurs que dans notre relation de meilleures amies. Elle s'entraîne pour être la meilleure au volley, ce qu'elle est. Elle étudie beaucoup pour être la meilleure à l'école, ce qu'elle n'est pas loin d'être. Par-dessus le marché, elle suit des cours de piano pour nourrir son côté artistique et ainsi équilibrer sa vie, selon les mots de sa mère. Elle n'est pas la meilleure musicienne au monde, mais elle est capable de créer une ambiance et elle est très belle à voir lorsqu'elle est concentrée au-dessus des touches noires et blanches. Je crois d'ailleurs que c'est pour cette raison que Tristan est tombé amoureux d'elle, lors d'une petite réception donnée par ses parents, le genre de réception où je mettrais mes grands pieds dans les plats. Or, ce n'est jamais une bonne idée quand les plats sont en argent.

Je me précipite sur l'ordinateur: elle m'a probablement répondu. J'ouvre ma page Facebook et vois qu'elle est en ligne. Je saisis l'occasion, puisque c'est assez rare que Florence ait le temps de s'adonner à ce genre d'activité, vu son emploi du temps chargé; il faut se lever de bonne heure pour être Florence Grandmaison.

Cendrine : *Salut ! Ça va ?*

Florence : *Oui, toi ?*

— *Ben ça dépend. As-tu lu mon courriel ?*

— *Oui.*

— *…*

— *…*

Cendrine : *Pis ?*

Florence : *Je peux vraiment pas te dire pourquoi les Girafes sont sorties de la classe, je suis désolée, Cendre.*

— *C'est pas grave. Mais toi ? Pourquoi ?*

— *C'est à cause de Tristan.*

— *?*

— *Je te raconterai ça. Bon, faut que j'aille souper. On se voit demain. Bye.*

Cendrine : *À +.*

Florence est hors ligne. Je ne sais pas si je me sens mieux ou pire que tout à l'heure. Au moins, elle m'a promis de me raconter ce qui ne va pas avec Tristan. Je dois avouer que je suis surprise. Ce n'est pas que je croie au prince charmant, mais j'étais certaine qu'elle se rendrait au moins au bal des finissants du secondaire avec lui, si ce n'est au bal des finissants de l'université.

Mais ses difficultés amoureuses ne me disent pas vraiment pourquoi elle est sortie de la classe ni pourquoi elle a été absente toute la journée. Flore n'est pas le genre de fille qui manque des cours parce qu'elle a bobo à son petit cœur. Ses parents ne la laisseraient jamais faire. Le savent-ils, d'ailleurs, que leur fille s'est absentée ? Qui a motivé son éclipse ? Où était-elle ? En fait, où étaient-elles ? Et si c'était vrai que les Girafes avaient toutes une maladie grave ? Je crois que je m'emporte, là. Si je posais simplement ces questions à Florence ? Quelque chose me dit que je n'obtiendrais pas de réponse.

Je n'aime pas particulièrement tendre un piège à mon amie, mais on dirait que c'est la seule idée qui germe dans mon esprit.

C'est en tremblant un peu que je frappe à la porte de la grande maison des Grandmaison. Tu parles d'un nom de famille prédestiné ! Il est dix-neuf heures vingt-deux, l'heure où toute la famille sera sortie de table après avoir de concert rangé la vaisselle dans le lave-vaisselle en terminant la conversation amorcée pendant le souper sur fond de musique classique. Je ne blague même pas. Les parents de Florence ont des règles très strictes concernant l'heure du repas. Sa mère, professeure de piano classique, choisit toujours une musique d'ambiance qui « porte à la confidence et aide à digérer ». Son père, quant à lui, ouvre officiellement le repas en posant toujours la même question :

— Alors ? Quel est votre rapport d'étonnement de la journée ?

Chacun doit alors y aller de l'événement qui l'a le plus marqué. La règle est simple : si rien ne t'a impressionné, tu as le droit d'inventer à partir d'un événement réel. À ce moment-là, le souper prend des allures de jeu-questionnaire télévisé, car tout le monde essaie de deviner qui dit vrai.

Chez moi, la discussion a toujours été remplacée par les véritables jeux-questionnaires télévisés, puisque, du plus loin que je me souvienne, le téléviseur a toujours été placé dans un angle favorisant son écoute depuis la salle à manger. Le problème, c'est que ma place à table est dos à la télé. J'ai toujours eu l'impression qu'on me regardait et qu'on m'écoutait, alors que j'avais une rivale beaucoup trop intéressante pour être de taille à compétitionner.

Les premières fois que j'ai soupé chez Florence, j'étais très intimidée par leur rituel. Depuis, je m'y suis habituée et, lorsque je suis invitée, je me prépare même un peu avant, question d'avoir une histoire intéressante. La plupart du temps, vous avez deviné, je raconte mon rêve de la nuit précédente et une chose magnifique se produit : tout le monde m'écoute attentivement. On n'a pas le choix puisque, chez les Grandmaison, le droit de parole et le devoir d'écoute sont sacrés.

Après quelques secondes, Mme Grandmaison vient m'ouvrir. Elle porte, comme d'habitude, une tenue d'intérieur très chic et confortable à la fois, avec de petites pantoufles-sandales qui n'ont rien à voir avec les pantoufles en phentex que ma grand-mère nous tricote chaque année, à mon père, à mon frère et à moi. À la main, elle tient le verre de vin qu'elle était en train de terminer avec son mari. Ça aussi, ça fait partie du rituel familial. Une fois la vaisselle faite, Florence et ses jumelles de sœurs s'éclipsent dans leur chambre pour faire leurs devoirs, alors que leurs parents passent du temps de couple de qualité assis dans le boudoir. Je n'ai jamais compris ce que c'était, cette pièce, un salon pas de télévision, c'est tout. Je ne sais pas, mais si mes parents avaient ce genre de rituel, je crois que je me sentirais de trop dans ma propre maison. Mais peut-être qu'ils seraient encore ensemble.

Johanne m'accueille comme la deuxième mère qu'elle est pour moi.

— Cendrine! En voilà, une bonne surprise… Un mardi soir! Que nous vaut l'honneur de ta visite?

Sa joie de me voir est sincère, mais je sens que je dérange l'ordre établi. La règle est claire, pas d'amis à la maison la semaine. Elle continue à sourire, mais je devine l'inquiétude à travers son mascara, non pas vert, mais mauve! Si j'ose m'aventurer ici un modeste soir de vin blanc, c'est que je dois avoir une sacrée bonne raison. Ah oui! Le vin, c'est blanc mardi, mercredi et jeudi, rouge vendredi, samedi et dimanche, le lundi étant jour d'abstinence. Tout est bien à sa place.

— Bonjour, madame Grandmaison, je venais simplement porter les devoirs de Florence.

Je ne dis rien d'autre, laissant la phrase faire son chemin. Johanne fronce les sourcils.

— Je ne comprends pas. Florence a oublié ses devoirs à l'école?

— Non non! C'est pas son genre, c'est juste qu'on est en équipe pour un travail de math et qu'elle doit se servir de mes données pour faire un tableau. J'ai oublié de les lui donner tantôt.

— Tu ne pouvais pas lui remettre ça demain? À moins que le travail ne soit à rendre demain!

Dans ce cas, vous vous y prenez à la dernière minute, je trouve.

Son sourire ne la quitte pas. Il semble aussi figé que sa coiffure.

— Non non, c'est pour vendredi, mais je sais que Florence aime pas être à la dernière minute.

— Ah, pour ça, tu as raison ! Bon, eh bien, entre.

— Qui c'est ? demande M. Grandmaison depuis le fameux boudoir.

— C'est Cendrine, Armand. Elle est venue porter des notes de cours à Florence.

— Florence n'a pas *foxé*, toujours, comme vous dites, vous, les jeunes ?

Il rit de bon cœur et sa grosse bedaine rebondit sous une chemise que mon père ne pourrait jamais se payer. Il connaît bien sa Florence chérie, son aînée. Jamais elle ne ferait une chose pareille.

— Alors, Cendrine, à quelle date on part pour le chalet, cette année ?

C'est un genre de blague. M. Grandmaison dit que, comme je suis presque toujours là pendant les vacances d'été, ils vont devoir commencer à prendre mon horaire en considération. Je joue le jeu.

— Hum… attendez un peu… en juillet j'ai mon cours d'aquarelle. Il va falloir attendre en août, je crois, on n'aura pas le choix.

— Bon, eh bien ! s'il le faut… De toute façon, on n'aura pas le choix de t'emmener, puisque les jumelles ont un camp de musique aux États-Unis, cette année, me dit Armand sur un ton enjoué. Florence s'ennuierait bien trop, toute seule !

— Toi, ça, des cours d'aquarelle ? Le prof est mieux d'être patient !

Florence me lance nerveusement cette phrase en descendant le grand escalier en bois, le genre d'escalier qu'on descend en robe de soirée pour rejoindre le cavalier inespéré qui nous a déclaré son amour à la dernière minute et qui nous conduira au bal des finissants avec la BM empruntée à son père. Je ris intérieurement à l'évocation de cette image de film américain. Florence et moi avons souvent imaginé cette scène, quand nous étions petites. Nous jouions même au bal des finissants. Évidemment, c'était toujours moi qui faisais le cavalier et elle qui descendait les escaliers.

Florence ne l'avouera jamais, mais je crois qu'elle entretient toujours cet idéal. Quant à moi, je suis d'avis que si une soirée commence par un moment aussi parfait, elle n'a pas le choix d'être horriblement gâchée par la suite. Genre ton beau cavalier renverse son cocktail dans le décolleté de ta pire ennemie et finit la soirée avec elle. C'est une question d'équilibre. Pendant que Florence m'entraîne le plus vite possible dans sa chambre, j'imagine Tristan, pendant le bal, en train de faire des compliments à Jessifée sur la couleur de son mascara et de danser un slow avec elle. Je me retiens pour ne pas rire. Ce ne sera visiblement pas Tristan qui accompagnera Flore, malgré que, d'ici là, il peut se passer bien des choses. J'espère cependant en savoir plus sur cette histoire dès maintenant. Mais, avant, j'aimerais bien comprendre pourquoi les parents de Flore sont convaincus qu'elle était à l'école aujourd'hui.

J'ouvre la bouche, mais je ne sais pas comment formuler ma question. Florence parle la première, comme d'habitude.

— Tu leur as donné quelle raison, à mes parents? qu'elle s'empresse de me demander, suspicieuse.

C'est une idée. J'aurais pu formuler cela exactement comme ça.

— Quelle raison pour quoi?

— Ben, pour venir ici un mardi!

— Ah! Je leur ai juste dit que j'avais oublié des notes de cours pour un devoir de math.

— Tu leur as pas…

— Et toi?

— Moi quoi?

— Tu leur as donné quelle raison?

— Raison pour quoi?

— Ben, pour ton absence d'aujourd'hui!

— Tu leur as pas dit que j'étais absente?

— Non, mais pourquoi ils sont convaincus que t'étais à l'école, aujourd'hui?

— Mais j'étais à l'école aujourd'hui.

— Peut-être que tu étais dans l'école, mais tu étais pas dans la classe. Il me semble que ça prend l'autorisation des parents pour rater l'école.

— J'ai pas raté l'école! Pis mes parents sont pas obligés de savoir que j'étais pas dans la classe. Cout'donc, travailles-tu pour le nouveau chum de ta mère, toi?

D'abord Jessifée, maintenant Florence! Serais-je une si mauvaise détective? Florence me regarde avec une telle hargne dans les yeux que j'en suis figée sur place. Je suis absolument incapable de supporter que quelqu'un soit fâché contre moi, surtout Florence. Je ferais n'importe quoi pour un sourire de sa part. Tant pis. Je laisse tomber mon interrogatoire. Elle a bien le droit d'avoir quelques secrets ! Mais, dans mon for intérieur, je me crie que non !

— Je m'inquiète juste du nombre de graines sur le comptoir.

Florence éclate de rire. Dieu merci, ça fonctionne. Je suis si contente d'avoir un instant de complicité avec elle que j'en oublie la raison pour laquelle je suis venue là.

Chaque fois qu'elle reçoit des amis, qu'il s'agisse d'un mardi à dix-neuf heures vingt-deux ou d'un samedi à quatorze heures trente-trois, son père ne manque jamais de lui demander de venir ici deux minutes. Chaque fois, il n'a rien de particulier à lui demander, quelques babioles à ramasser dans la salle de bain tout au plus. Une fois, il nous a même dérangées pour qu'elle aille ramasser des graines sur le comptoir. C'est maintenant une tradition. J'arrive chez elle, on s'installe et, quand nous sommes bien lancées dans des confidences croustillantes, il y a inévitablement des graines à ramasser sur le comptoir. Mais c'est plus fort que lui. Selon moi, c'est une façon d'exercer son autorité paternelle virile. Il doit montrer à tout le monde que c'est lui le chef de la meute. Je n'ose même pas imaginer ce que c'est quand Flore est seule avec Tristan dans sa chambre. Ah oui, j'oubliais, elle n'a pas le droit de l'emmener dans sa chambre, comme moi, d'ailleurs, mais je n'ai personne à emmener dans ma chambre.

Nous nous laissons aller à imaginer le père de Florence qui renverse le grille-pain sur le comptoir et oblige Florence à ramasser les miettes de pain une à une en les comptant. C'est ce que j'aime le plus avec ma meilleure amie. Ensemble, nous inventons des mondes et nous y croyons presque. En tout cas, quand nous étions petites, nous y croyions. Mais je cesse de rire assez rapidement. Elle me cache quelque chose, c'est certain. Florence, ma meilleure amie depuis la maternelle, me cache quelque chose. Je vis une petite fin du monde.

Après une demi-seconde de malaise, la voix de M. Grandmaison retentit dans les escaliers, provoquant à nouveau notre rire, que nous tentons d'étouffer.

— Bon, va donc ramasser les électrons et les protons de saleté qui traînent dans la salle de bain, que je lui lance avec un regard empathique, fière d'avoir su intégrer mes connaissances de physique dans une conversation banale.

Florence lève les yeux au ciel et, avant de descendre, range rapidement dans son sac deux ou trois choses familières que j'entrevois rapidement: un paquet de gommes à la menthe, un paquet d'élastiques à cheveux et une petite boîte bleue, où je devine le «x» de *Tampax*. Ça me fait sourire. Elle achète toujours la version dite esthétique des boîtes de tampons, qui, en passant, sont tellement minuscules qu'elles en contiennent à peu près trois et demi. C'est comme les pochettes à motifs des serviettes destinées à plaire aux adolescentes : c'est d'un ridicule ! C'est peut-être parce que je ne suis pas encore une femme ! Ça me semble simplement inutile. J'imagine en riant toute seule les employés de chez Always en réunion de marketing.

— Si nous lancions une nouvelle ligne de protège-dessous avec enveloppe mangeable ? De cette façon, notre produit s'accorderait avec le rythme de vie effréné des jeunes femmes modernes : un protège-dessous et une collation hypocalorique dans le même emballage !

Pendant que Florence est peut-être en train de passer un chiffon sur les fruits – je ne vois pas ce qu'il y aurait d'autre à nettoyer chez elle ; tout est effroyablement propre –, je passe en revue ce qui traîne sur son bureau, si on peut appeler cela traîner. Je réalise que quelqu'un a dû lui donner le devoir d'anglais, puisqu'il est à moitié terminé. Juste à côté, son livre de math est ouvert à la page que nous étions en train d'étudier avec le prof ce matin. Sacrée Florence ! Même dans sa désobéissance, elle est responsable.

Quelques feuilles volantes sont éparpillées autour de son matériel scolaire. Il s'agit de dessins de Camille. Il y a une caricature de Flore très impressionnante, où Camille lui a fait d'interminables jambes de girafe. Il y en a une autre semblable où je suis assise sur Florence comme s'il s'agissait d'un cheval et où j'ai de toutes petites jambes de rien du tout. C'est très réussi, bien que ce ne soit pas très flatteur pour moi. Quelques croquis représentent le chalet des Grandmaison sous tous ses angles. Sur un de ces croquis qui a plutôt l'air d'un brouillon, il y a même des indications comme *porte arrière, fenêtre du salon*, et ainsi de suite. Parfois, je me dis que Camille passe beaucoup trop de temps avec ses crayons. Elle est capable de dessiner en faisant n'importe quoi d'autre, comme lire, regarder la télévision et même faire la vaisselle, mais, dans ces cas, le résultat s'en ressent.

Le dernier dessin est quant à lui très abîmé. Il a été froissé, puis défroissé, puis refroissé. Il a peut-être même été passé à la laveuse. Il s'agit d'un portrait de Florence et de Tristan, tels qu'ils étaient costumés à l'Halloween. Pendant que je m'étonne une centième fois des talents de Camille, Florence entre dans sa chambre et s'élance sur moi.

— Qu'est-ce que tu fais là ?

— Ben, je regarde les chefs-d'œuvre de Camille...

— Touche pas à ça !

D'un geste brusque, elle ramasse tous les dessins et se met à lisser frénétiquement celui d'elle et de Tristan, comme si elle pouvait effacer le mauvais traitement qu'il a subi. Puis, elle les lance sous le lit.

— Cout'donc, qu'est-ce qui t'arrive ! que je m'écrie, les larmes aux yeux.

Non, mais il y a toujours bien des limites à endurer ses airs bêtes ! Immédiatement, les larmes lui montent aussi aux yeux. Ah non. Si Flore pleure, je vais pleurer aussi. Elle se retient très fort pour ne pas sangloter, mais ne peut ravaler ses larmes. Elle est incapable de dire quoi que ce soit. Parfois, je dois parler la première, même si l'émotion m'obstrue la gorge :

— C'est à cause de Tristan, c'est ça ?

Elle hésite, ouvre la bouche, la referme. Elle va chercher un mouchoir et se mouche discrètement comme seule une Grandmaison sait le faire. Elle se calme un peu et tente un sourire à travers ses larmes. Je sais que c'est égoïste, mais, en ce moment, je suis heureuse. Heureuse de me retrouver là, sur le lit de mon amie qui va me faire des confidences. Je ne saurai pas quoi lui dire pour la consoler puisque je suis pourrie dans ce rôle, mais au moins je vais lui remonter le moral en lui disant un paquet de conneries, comme d'habitude.

— Oui, c'est à cause de Tristan.

— Ça va mal entre vous deux ?

— En fait, euh… oui, c'est ça. On dirait qu'il voudrait tout le temps être avec moi, mais j'ai pas le temps ! J'ai l'école, le piano, mon volley avec le coach qui… Déjà que je néglige mes amies !

Ses larmes repartent de plus belle. Bon. Au moins, elle se rend compte qu'elle me néglige, c'est déjà ça. Elle poursuit, de plus en plus calme, jusqu'à en devenir détachée. On lui a si bien appris à se contenir !

— Je lui ai dit que j'avais juste une soirée par semaine à lui accorder. Il comprend pas qu'il a pas le droit de venir dans ma chambre et que, si je vais chez lui, je dois revenir à neuf heures. J'essaie de lui expliquer que c'est à cause de mes parents, il insiste pour que j'essaie de sortir par la fenêtre de ma chambre.

— Ce serait romantique, non ? Il pourrait venir cogner à ta fenêtre une fois tes parents couchés et vous pourriez aller faire une promenade sous les étoiles…

— Franchement, Cendrine ! L'amour, c'est pas comme dans tes rêves. Non. Je pense que j'ai juste pas de place pour un chum dans ma vie. J'en ai pas besoin. Je suis très bien célibataire.

Je me sens comme un enfant affamé du tiers-monde devant un obèse qui parle la bouche pleine dans un buffet chinois. C'est à n'y rien comprendre. Les filles en couple veulent être célibataires, les filles célibataires voudraient désespérément être en couple, les filles qui ont leur poids santé voudraient désespérément maigrir, les filles sous leur poids santé s'empiffrent au buffet chinois, mon préféré, en passant. Merde ! Ça me fait penser que j'ai un rendez-vous avec Gargamel après-demain. Il va falloir que je commence ma liste fictive de nourriture. Qu'est-ce que je vais devoir inventer ? Oups ! j'ai perdu un bout du monologue de Florence. Elle me fait peur, tant elle semble distante. Elle se parle à elle-même, très, très vite.

— … que c'est normal de passer du temps avec son équipe de volley, que le sport demande discipline et sacrifices, que…

Ça y est, c'est le temps, j'aperçois une porte entrouverte. Je me précipite.

— Ben, c'est vrai, Flore, que tu passes beaucoup de temps avec les Girafes, ces temps-ci. C'est à se demander ce que vous faites pendant tout ce temps-là…

Florence referme la porte aussitôt.

— Là, qu'est-ce que tu penses? Je te ferai remarquer qu'en fin de semaine prochaine c'est le camp de sélection pour l'équipe de compétition de cet été. Faut se préparer.

OK. Deuxième tentative. Cette fois, j'ouvre une porte-fenêtre.

— Quand même! Vous faites jamais ça, manquer une journée de cours pour vous préparer à un tournoi.

— C'est pas un tournoi, Cendrine. C'est un camp de sélection. C'est là que les meilleures sont choisies pour... Ah! laisse faire, tu comprends jamais rien au sport! Il faut que je finisse mon devoir d'anglais. On se voit demain.

Et vlan! Porte-fenêtre fermée. J'aperçois presque le petit rond de gras que mon front a laissé sur la surface vitrée.

Je retourne chez mon père, découragée de ma piètre performance d'enquêtrice. En plus d'avoir froissé mon amie, que dis-je, de l'avoir fait pleurer, je l'ai peut-être mise dans la merde avec mes histoires incohérentes de devoir de math. Et je n'en sais pas vraiment plus long sur les comportements des Girafes. Mais, au fait, pourquoi est-ce que je désire tant savoir ce qu'elles trament? Parce que j'ai l'impression qu'il y a quelque chose de plus, quelque chose qui a un lien avec l'épidémie d'anorexie, quelque chose de... qui me fait peur, en tout cas. C'est ça, j'ai peur. Pas seulement peur de perdre Florence, mais peur pour Florence. Peut-être y a-t-il un lien entre l'histoire de Jean-Maurice et les Girafes !

Je suis complètement folle. Je rêve trop. Elles ont peut-être effectivement pris du temps pour se préparer au camp de sélection. Elles avaient peut-être une rencontre de groupe avec Gargamel et leur entraîneur, histoire de se motiver pour la fin de semaine. C'est sûrement ça. Mais, alors, pourquoi est-ce que Florence aurait menti à ses parents ? Ça ne tient pas debout, cette histoire.

Dès que j'ouvre la porte, une voix, que dis-je, un bruit strident s'infiltre dans mes oreilles et fait saigner du nez mon tympan.

— Non, chouchou ! C'est à mon tour de te faire un massage, là !

Berk ! berk ! berk ! et re-berk ! J'ai peur de tomber sur Nancy en petite tenue qui court après mon père avec de l'huile à massage. Si c'est le genre de vision d'horreur qui m'attend, je préférerais de loin qu'ils boivent un petit verre de vin dans le boudoir après m'avoir expédiée dans ma chambre. Je n'ai pas la force d'affronter cela aujourd'hui. Et puis, j'ai des questions à poser à Jean-Maurice.

En montant l'escalier extérieur, je me fais la promesse de déménager chez ma grand-mère si je tombe sur ma mère en train de faire un traitement facial à son petit poulet d'amour sur fond de musique romantique. Question de manifester ma présence et d'éviter toute rencontre désagréable, j'ouvre la porte très bruyamment en criant :

— Allo !

Ma mère fume une cigarette. Ma mère fume une cigarette? Je savais bien que ça ne pouvait pas durer. Est-ce que ça veut dire qu'elle n'est plus avec Jean-Maurice? Ah non! J'ai besoin de lui pour mon enquête!

— Tu fumes?

— Toi, tu vas chez le psychologue?

— Tu as cassé avec Jean-Maurice?

— Réponds à ma question, Cendrine Senterre!

Tout enfant sait que, lorsqu'il se fait nom-de-familler, l'heure est grave. Il se peut que j'aie vaguement effacé les messages de la directrice sur le répondeur. Je ne sais pas pourquoi j'ai fait ça. Enfin, c'est peut-être parce que j'ai horreur des interrogatoires auxquels ma mère me soumet lorsqu'elle flaire la problématique adolescente. J'ai vraiment cru que je me débarrasserais de Gargamel sans que mes parents apprennent rien. Mais, apparemment, j'ai négligé un détail.

— Je viens de recevoir un sainte-fly-de-grosse-pisse d'appel d'un monsieur Ga… ga…

D'entendre sa mère jurer est pire que de l'entendre nom-de-familler. Surtout en prenant en considération que, toute ma vie, mes parents ont réussi l'exploit d'utiliser devant moi des jurons inoffensifs, pour ne pas dire ridicules. Lorsqu'elle est épatée, ma mère s'exclame: concombre! En fait, ça ressemble plutôt à *cocômme*! Mon père a choisi «tournevis»! lui qui n'en a jamais touché un. L'heure est donc plus que grave.

— Gargamel, dis-je le plus sérieusement du monde.

— C'est ça, Gargamel, spécialiste en…

— En poursuite de schtroumpfs et de girafes, que je continue, toujours aussi sérieusement.

— Tu te trouves drôle, Cendrine Senterre?

Oui, je me trouve drôle. Mais, comme mon nom de famille vient d'être prononcé une seconde fois, mieux vaut ne pas répondre oui à la question.

— Peux-tu m'expliquer pourquoi tu consultes un psychologue?

— C'est rien, c'est juste l'école qui est parano à cause de l'épidémie d'anorexie. Tout le monde passe au batte, pis comme je suis pas ben ben grosse…

— Lui as-tu dit, au psychologue, que t'étais pas encore une fem…

— Ah! Arrête d'appeler ça comme ça! Non, je lui ai pas parlé de mes pas de menstruations! De toute façon, il pense pas que je suis anorexique, il pense que je suis boulimique!

— Lui as-tu dit, au moins, que t'étais pas boulamique?

— Bouliiiimique, pas boule à mites!

— On s'en fout! gueule ma mère. T'en as pas, de problèmes alimentaires! Lui as-tu dit, ça, oui ou non?

— Oui! oui! et oui! Mais il me croit pas! Appelle-le donc pour le lui dire, toi! Tu vas voir que c'est rien qu'un con!

— Des plans pour qu'il me charge mon appel!

Je m'apprête à renchérir quand je réalise que le mauve qui colore le visage de ma mère est avant tout provoqué par l'idée de devoir payer pour un sainte-fly-de-grosse-pisse d'appel. Les émotions de la journée, mêlées à cette constatation, bouillonnent dans ma tête et enflamment mes oreilles, elles qui sont toujours les premières à devenir rouges. Dans le fond, ma mère s'en fout, que j'aie des problèmes, pourvu que ça ne lui coûte rien… J'explose :

— Je suis contente de voir que ma santé t'inquiète autant que ça ! De toute façon, je sais pas pourquoi ça me surprendrait, à voir comment tu t'occupes de la santé de tes poumons !

Et vlan ! Je ressuscite vingt ans de conflit avec mon père.

— Lâche mes cigarettes, Cendrine Senterre !

— De toute façon, je sais pas pourquoi tu capotes, parce que c'est l'école qui le paye, le psy !

— Une maudite chance, parce qu'on serait obligés de déménager dans un taudis !

— Pourquoi tu chiales, d'abord ?

— Parce que tu me racontes jamais rien ! Pour obtenir une toute petite information de rien du tout, il faut que je te tire les vers du nez ! Mais avec tes amies, par exemple, c'est une autre histoire ! À tes amies, tu racontes ta vie en détail pendant des heures au téléphone ! C'est pas juste ! Tu aimes plus tes amies que nous autres, ta famille ! Ce que je veux savoir, c'est pourquoi tu me caches des choses !

C'est une excellente question à laquelle je n'ai pas de réponse. C'est comme ça. J'ai simplement décidé de ne rien raconter à mes parents. Il me semble que c'est plus facile comme ça. Ce doit être ma façon à moi de faire ma crise d'adolescence.

Mes parents ne se rendent vraiment pas compte de la chance qu'ils ont de ne pas être aux prises avec de vrais problèmes d'ado. Je jette de l'huile sur le feu :

— Oui, c'est ça, maman. Je te cache mes trips de bouffe chaque soir. Tu sais quoi ? C'est impossible que je fasse des trips de bouffe, y a jamais rien dans le frigo !

— C'est pas de ça que je parle, Cendrine ! Je le sais que t'as pas de problèmes alimentaires ! Je parle de tout le reste. Tes amies, les petits chums, les…

— J'en ai peut-être, des problèmes alimentaires ! As-tu pensé à ça, au moins ? T'es-tu au moins intéressée à la question pendant deux secondes, au lieu de… de…

— De quoi, hein, dis-le ! De passer du temps avec l'homme que j'aime ? D'être enfin heureuse ? Essaies-tu de me faire sentir coupable, Cendrine Senterre ?

Encore mon nom de famille. Je sens que ça va claquer. De fait, ma mère écrase rageusement sa cigarette dans un cendrier, se lève et claque la porte de sa chambre. Je ne retiens pas du voisin, comme dirait mon père. Je me dirige vers ma chambre dans le but d'en faire autant, mais, dans le couloir, je me bute à Jean-Maurice qui, tout penaud, sort à ce moment-là de la salle de bain sur la pointe des pieds. Je claque la porte de la salle de bain pour la forme et pour le plaisir de le voir sursauter, sors de l'appartement, claque la porte à nouveau, descends trente marches et claque la porte de chez mamie. Ma grand-mère est déjà au-dessus de son chaudron où elle fait chauffer du lait. Je la regarde avec un air ahuri avant de me rappeler qu'elle perçoit mieux les vibrations que nous tous.

Ma grand-mère vient d'un autre univers. C'est vrai. Puisqu'elle a vieilli à une époque où on ne faisait que commencer à faciliter la vie aux sourds, elle n'est pas tout à fait sur la même planète que nous. Depuis toujours, quand mes amies entendent ma grand-mère parler pour la première fois, elles me demandent d'où elle vient. Quand je réponds qu'elle est québécoise, ils me demandent pourquoi elle a un accent comme quelqu'un qui vient d'un autre pays. Son accent est celui de la contrée lointaine de son cerveau. Elle a beau avoir appris à parler français, comme elle n'a jamais entendu l'accent québécois, elle ne l'a pas. Elle a un accent unique à elle. C'est génial, non ? Qui peut se vanter de ne parler comme personne d'autre au monde ? J'ai toujours voulu être à part, moi aussi. Quand j'étais petite, je me racontais que j'étais adoptée et qu'un jour des parents possédant des dons de télékinésie ou de télépathie allaient venir me chercher pour m'apprendre à exploiter mes pouvoirs magiques et à sauver le monde en secret. J'ai dû regarder trop de téléséries de sorcières.

Quand je suis en chicane avec ma mère, ma grand-mère ne me pose pas de questions. En fait, ma grand-mère me pose rarement des questions.

Elle se contente de me réchauffer le cœur. Parfois, je réalise qu'elle ne connaît pas beaucoup ma réalité de fille de quinze ans. Pour elle, j'aurai toujours quatre ans. Ça pourrait facilement m'agacer, mais, étrangement, ça m'arrange. Avec elle, aucune obligation de rendre des comptes, de raconter comment vont mes études, de dire ce que je veux faire plus tard, ou pire, s'il y a des petits gars qui me courent après. Tout ce que j'ai à faire, avec elle, c'est d'être là et ça semble lui suffire. Elle se satisfait de jouer une petite partie de dame de pique avec moi, de me regarder boire son chocolat chaud en lui disant chaque fois que je ne comprends pas comment il peut être aussi bon et de me parler de quand mon père était petit. On dirait que mon père n'a jamais été ado ou même jeune adulte. Ma grand-mère est prise dans le passé, dans les temps qui ont précédé les téléphones adaptés aux sourds et l'avènement d'Internet pour commander son épicerie; elle a arrêté son horloge avant que le monde soit à sa portée comme pour tous les entendants. Je la soupçonne de regretter toutes ces avancées technologiques.

Elle me raconte à tout coup comment elle et mon grand-père, qui est mort quand j'avais cinq ans, ont fait pour élever cinq garçons malgré leur handicap. Comment les garçons étaient des petits monstres et qu'ils se couraient après partout dans la maison sans qu'ils s'en rendent jamais vraiment compte, occupés à boire leur café sur le balcon. Comment c'était mes arrière-grands-parents qui montaient à l'étage faire la discipline quand ils en avaient assez d'entendre crier et pleurer. Comment mon oncle est tombé du deuxième étage, comment mon autre oncle a reçu un coup de marteau sur la tête, comment mon père est resté embarré dans une garde-robe pendant toute une journée. Ce qui fait briller ses yeux le plus fort, c'est quand elle me raconte qu'elle devait dormir la main dans le berceau de ses nouveau-nés, la seule façon pour elle d'être alertée de leur réveil. Objectivement, toutes ses histoires me semblent plutôt évoquer une époque difficile, mais, dans sa bouche et ses mains, elles se transforment en histoires fantastiques.

Mais, ce soir, j'ai beaucoup de mal à sourire à ma grand-mère en m'accotant sur ses gros seins. Je fais des signes de tête de temps à autre pour l'encourager à poursuivre ses histoires que je connais par cœur, mais le cœur n'y est pas. Je me demande comment je vais obtenir les réponses aux interrogations qui m'obsèdent de plus en plus. Je dois absolument parler à Jean-Maurice, mais il n'est pas question que je remonte chez ma mère ni chez mon père. Cette nuit, je dors chez mamie. Comme si elle avait entendu mes pensées, ma grand-mère m'apporte le pyjama qu'elle garde pour moi, celui qui ne me fait plus depuis deux ans. Mais je m'en fous, ce soir, j'aurai quatre ans. J'espère ne pas faire de cauchemars.

7

DES TOILETTES ET DES MIETTES

MERCREDI MATIN 7 MAI

Je suis dans une école étrangère. Je veux dire dans une école probablement à l'étranger. Je ne sais pas où exactement, mais ce que je sais, c'est que c'est une école froide et sombre. J'essaie d'ouvrir mon casier ; ça ne fonctionne pas. Un homme louche, aussi sombre et froid que l'école, arrive en me disant qu'il est le maître des clés. Il me tend donc une clé pour ouvrir mon casier, mais je n'y arrive pas, bien que la clé s'insère parfaitement dans la serrure. Le gars rit doucement de moi et me dit nonchalamment d'oublier ça et de le suivre dans un party avec mes nouveaux amis. Je le suis sans rien dire, en me demandant qui sont ces nouveaux amis. Je suis consciente de rêver, mais incapable de maîtriser quoi que ce soit ; décidément, je régresse ; je me sens totalement dominée par l'obscur personnage. Arrivée au party, qui a lieu dans un chalet ressemblant étrangement au chalet des Grandmaison, je n'y connais personne. Ou plutôt, je ne reconnais personne. J'ai l'impression d'être entourée de gens qui me sont familiers, mais je n'arrive à replacer ni leur visage ni leur nom. Personne ne fait attention à moi. Personne ne me parle. Personne ne semble même m'avoir vue.

Le seul qui s'intéresse à moi, c'est le maître des clés. Il me regarde intensément et me met incroyablement mal à l'aise. Je ne sais pas si son regard traduit son attirance pour moi, sa haine ou son dégoût. On dirait un mélange des trois. Je regarde partout ailleurs en cherchant la sortie, pendant qu'il me raconte qu'une certaine Florence est morte. Dans la logique propre à mon rêve, je ne connais aucune Florence; aussi, je ne sais pas quoi lui dire. Il continue de me parler de cette Florence en me demandant si je crois qu'elle a été assassinée, mais je ne me sens pas concernée par cette histoire. Je lui répète que je ne connais aucune Florence et que je ne puis donc formuler aucune hypothèse sur sa mort. Il fait froid. Le party semble à des kilomètres de moi. Je ne comprends pas pourquoi l'homme insiste tant pour que je réponde à sa question. Au bout d'un moment, il commence à s'énerver et me dit qu'il va me laisser réfléchir à la question et que, quand il reviendra, je devrai lui dire qui, d'après moi, a tué Florence. Ce n'est qu'à ce moment que l'évidence me frappe : il est lui-même le meurtrier de cette Florence.

Je me mets à paniquer. Je n'aime pas ce rêve. Je tente de mettre à profit ma technique pour me réveiller en cas de cauchemar. Leçon de rêve numéro deux – oui oui, numéro deux, la leçon numéro un étant au chapitre trois –, pour sortir d'un cauchemar, il y a plusieurs façons efficaces. L'une consiste à fermer les yeux très fort, puis à les rouvrir très grand. La plupart du temps, en se forçant à rêver qu'on ouvre les yeux, on les ouvre pour vrai. Mais là, rien. Je suis toujours sur un canapé brun en train d'attendre que le meurtrier revienne et me tue à mon tour.

Une autre technique consiste à se laisser tomber par en arrière. Cette méthode de mon cru crée artificiellement la myoclonie d'endormissement. Qu'est-ce que c'est que ça ? Il s'agit tout simplement – ! – de secousses musculaires rapides qui se produisent lors de l'endormissement. En gros, c'est lorsque vous avez la sensation de tomber juste au moment où vous sombrez dans le sommeil. Me laisser tomber par en arrière provoque généralement mon réveil en sursaut. Belle trouvaille, non ? Un jour, je gagnerai l'Oscar de la meilleure rêveuse. Mais là, encore rien. En fait, oui, quelque chose.

Je me retrouve subitement au point de départ, devant mon casier qui ne veut toujours pas s'ouvrir. Je comprends alors que le maître des clés n'est le maître de rien du tout et que la clé qu'il m'a donnée n'ouvre rien du tout. Tout à coup, Florence apparaît à côté de moi. C'est bien le physique de Florence, mais ce n'est pas elle. Je sais, dans la logique de mon rêve, que cette fille s'appelle Jessifée. Il faudrait m'avertir quand Jessifée sera devenue ma meilleure amie ; je n'aurai plus le choix d'aller chez le psychologue.

Leçon de rêve numéro trois, il ne faut jamais se fier aux apparences. Dans un rêve, n'importe qui peut avoir le visage et le nom de n'importe qui d'autre.

Florence-Jessifée tient à la main une petite boîte bleue qui est, selon ce dont elle m'informe, un poison antivampire. J'essaie très fort de comprendre ce que cette histoire de vampire vient faire dans mon rêve quand le maître des clés apparaît à côté de nous. Il a changé. Il ressemble à un mélange de Gargamel, de M. Grandmaison et de Dracula. C'est comme si son visage changeait sans arrêt. Immobile, je suis fascinée par lui, alors qu'il me montre ses crocs sanguinolents avec l'intention de s'en servir. Je me sens terriblement épaisse de ne pas avoir remarqué ses crocs avant. C'est alors que Florence-Jessifée me pousse violemment et lance sa petite boîte bleue sur lui. Il se liquéfie illico presto. Au sens propre. Il se transforme en une espèce de jus brun. Jolianne sort alors de mon casier en se brossant les dents et nous dit que ce n'est pas grave, parce que, de toute façon, le tapis est tellement laid que ses parents ne s'en rendront jamais compte. Je me réveille au moment où j'allais informer Jolianne que j'ai invité Jessifée à son party.

Freud nous explique que nos rêves ne sont pas uniquement constitués de nos désirs et de nos peurs cachés, mais également d'événements de la journée, de bribes d'histoires entendues çà et là, de bouts de films ou de livres qu'on a vus ou lus récemment, et ainsi de suite. Il appelle ça les restes diurnes. Ce sont les matériaux que notre inconscient utilise pour construire les rêves. En reconnaissant les restes diurnes dans un rêve, on sait qu'il est inutile de s'attarder à essayer de les interpréter, puisqu'ils sont insignifiants.

En me réveillant ce matin, je ne me pose donc pas de questions sur la présence d'un vampire dans mon rêve, étant donné que je me rappelle nettement avoir jeté un coup d'œil sur l'agenda de Jessifée, qui regorge de photos du pas-si-beau-que-ça Robert Pattinson entourées de gros cœurs rouges. Elle doit sérieusement penser qu'elle a des chances avec lui aussi. Je ne tente pas non plus de savoir si j'ai le désir caché d'aller étudier à l'étranger, vu que j'ai entendu ma mère parler avec ma tante au téléphone de ma cousine qui est partie étudier en France et qui, en passant, est tellement plus fine et plus serviable que moi avec ses parents.

Non. En me réveillant ce matin, je tente tout simplement de comprendre où j'ai dormi.

Pendant un instant, je pense être chez Florence, mais je me rappelle notre altercation de la veille. Je réalise en sentant l'odeur du bacon qui cuit que je suis chez mamie. Je me rends à la table comme un zombie. Mamie est là avec un air grave. Je sais qu'elle déteste me faire des remontrances, mais elle m'informe que, la prochaine fois que je déciderai de dormir chez elle, je devrai en informer mes parents. Mon père est presque devenu fou d'inquiétude. Il a téléphoné partout. Lui et ma mère m'ont cherchée pendant une heure avant de se douter que j'étais chez ma grand-mère. Non, mais, il me semble que c'est le premier endroit où me chercher. Ils sont vraiment futés.

Bon. Florence, ma mère, donc Jean-Maurice, et mon père, donc sûrement Nancy, sont tous fâchés contre moi. Comme si j'étais responsable de leur manque d'imagination ! Ah oui. Il y a Annabelle, aussi. Je suis tellement ravie de tenir la station verticale ! Et si je retournais me coucher ? On dirait que ce n'est pas si difficile d'avoir une absence motivée dans mon école de fous. Pardon. De folles.

J'entre dans l'école par la petite porte du sous-sol pour éviter de tomber sur quelqu'un qui m'en veut. C'est presque réussi. Mais comme je tourne le coin pour gravir les escaliers, Annabelle, qui texte en marchant, me rentre dedans.

— Cout'donc, Annabelle, vas-tu te marier avec ton téléphone ?

Si quelqu'un était payé pour compter le nombre de phrases ridicules que je dis depuis que je sais parler, il serait probablement aujourd'hui assez riche pour prendre sa retraite. Mais Annabelle ne me répond pas, ne me regarde pas non plus. Si elle était capable de passer à travers moi, elle le ferait. Elle me joue son grand classique. En effet, Annabelle est la reine de l'ignorance. Non, je sais, c'est Jessifée, la reine de l'ignorance. Ce que je veux dire, c'est qu'Annabelle est passée maître dans l'art d'ignorer les gens.

Son truc, c'est de continuer de se comporter comme l'aimant qu'elle est pour tout le monde, mais de faire comme si vous n'existiez pas. Littéralement. Par exemple, si, dans une discussion à plusieurs, vous lui posez une question, elle fera habilement dévier la conversation de manière à ne pas vous répondre. Si jamais elle daigne donner une réponse à votre question, elle le fera en regardant quelqu'un d'autre, ou pire, en regardant juste à côté de vous. C'est là la clé. La meilleure façon de faire en sorte que quelqu'un se sente comme une triple merde, c'est de ne plus le regarder du tout.

Je ne sais pas comment elle fait, mais en plus, elle arrive à agir ainsi sans que personne autour s'en rende compte. Elle excelle tellement dans cet art qu'elle en arrive à tout coup à vous faire croire que vous êtes folle et que vous hallucinez. Mais je sais que je n'hallucine pas. Je l'ai vue faire avec plusieurs de mes camarades de classe. J'ai même soulagé Camille d'un grand poids en lui communiquant cette information. Depuis, je suis capable de détecter qui est dans la mire d'Annabelle. Il y en a une presque à chaque mois. C'est à croire qu'elle choisit ses victimes de façon aléatoire afin d'assouvir une pulsion de méchanceté gratuite.

Même si je trouve sa façon d'agir dégueulasse, le pire, c'est que je n'arrive jamais à être véritablement fâchée contre elle, puisque, une fois son petit numéro terminé, Annabelle vous fait vous sentir la fille la plus drôle et la plus intelligente de l'école. Là encore, vous ne saurez jamais ce que vous avez fait pour mériter ce sort. On n'ose pas le lui demander, trop soulagée d'être gratifiée de son précieux regard. Je crois qu'on appelle cela de la manipulation. C'est très populaire, la manipulation, chez les filles.

Mais pourquoi ai-je choisi une école de filles, déjà ? J'y pense, peut-être qu'Annabelle est attirée par les filles ! Ça expliquerait bien des choses. Son petit jeu en serait un de séduction ! Elle joue tour à tour la difficile et l'allumeuse, peut-être. Mais c'est que ce serait très plausible, ça ! Une autre piste à étudier. Je vais commencer à prendre au sérieux ma double vie de détective privée.

En entrant dans la classe, je sens tout de suite la lourdeur de l'atmosphère. Même Jessifée n'essaie pas d'attirer l'attention. Elle est écrasée sur ses gros seins qui ne me semblent même plus si gros que ça. On s'habitue vite.

Je ne sais pas où m'asseoir. Florence est à côté de Camille et elle m'ignore, Annabelle est dans le fond de la classe et elle m'ignore, Camille dessine et ignore tout le monde ; à côté de Jessifée, il n'y a, Dieu merci ! plus de place. Je choisis donc de m'asseoir entre Alexandra et Alexane, qui n'ont plus le droit de se placer l'une à côté de l'autre depuis qu'elles ont échangé leur copie pendant un examen de math.

J'essaie de me concentrer sur ce que dit la prof, mais je n'y arrive pas. Je suis submergée par l'image du maître des clés. Je sais ce que vous allez me dire, j'y suis habituée : « Arrête, un peu, tu nous énerves ! Ce n'est qu'un rêve ! » Pour les gens normaux, oui, ce n'est qu'un rêve. En fait, la majorité des gens normaux ne se rappellent même plus leur rêve une heure après s'être réveillés. Mais moi, c'est très différent. Je ne me rappelle pas un rêve comme on se rappelle un film. Mes rêves me collent à la peau pendant longtemps, puisque je les vis. Je peux facilement me mettre à pleurer en racontant un cauchemar. Florence soupire chaque fois de découragement en insistant sur le fait que ce n'est pas arrivé pour vrai, que c'est le produit de mon imagination, et autres formules que je connais par cœur, mais qui ne peuvent rien contre mes états d'âme. D'accord, les histoires, je ne les vis pas pour vrai, mais les émotions, elles, je les ressens réellement. Et elles s'accumulent dans la case étiquetée « expériences personnelles » de mon cerveau. Une case qui déborde et qui va probablement exploser avant que j'aie atteint l'âge de voter.

Par exemple, j'ai rêvé la semaine dernière que j'étais prise dans une secte et que je n'arrivais pas à en sortir, parce que, chaque fois que j'aurais pu fuir, mes enfants n'étaient pas avec moi. Je me souviens d'avoir assisté avec une douleur indicible au spectacle horrifiant de mon bébé qui se faisait battre par le gourou de la secte. Je me rappelle nettement avoir insisté pour me faire battre à sa place, je revis souvent le sentiment que j'avais de vouloir être sacrifiée à la place de mon enfant. Pourtant, je n'ai pas d'enfant, évidemment, et je dois avouer que j'ai de la difficulté à me mettre à la place des autres, surtout à celle de ma mère, malgré ses nombreux «mets-toi donc à ma place deux minutes!» Je suis un être égoïste qui ne se sacrifierait pas facilement. Mais je vous jure que j'ai ressenti le don de soi maternel. Le lendemain de ce rêve, j'ai pleuré toute la journée, au grand désarroi de Flore, qui essayait en vain de me consoler. Ma peine a duré presque toute la semaine. Comment ai-je pu garder en moi ce sentiment avec autant d'intensité? Parce que je l'ai vécu, un point, c'est tout.

Le pire, c'est que, le lendemain, après que j'eus raconté en pleurnichant ce cauchemar à mon père, il m'a dit que ça se rapprochait beaucoup de ce qui a été vécu dans la secte de Roch Thériault, alias Moïse Thériault, gourou assassiné en prison il y a quelques années. J'ai alors lu sur son histoire et su qu'il avait bel et bien maltraité les enfants de sa secte, surtout ceux dont il n'était pas le père. Il avait même coupé le bras d'une de ses disciples à froid et en a assassiné une autre. Je vous jure que je ne savais rien de cette histoire abominable. Pas étonnant, avec ma propension à délirer, que j'aie cru pendant des jours être la réincarnation de la disciple assassinée. C'était pour moi la seule explication à ma tristesse. Vous aurez deviné que c'est à ce moment-là que Florence m'a suggéré d'aller consulter, ce que je n'ai pas encore fait.

Mais pourquoi est-ce que ça me revient en mémoire à ce moment-ci? J'en suis à une cinquantième auto-psychanalyse quand je réalise que tout le monde ouvre son cahier à une page quelconque. Je me tourne timidement vers Alexandra pour lui demander le numéro de page.

En gesticulant impatiemment, elle me regarde comme si j'étais la dernière des connes; du moins, c'est l'impression que j'ai. À ma gauche, j'entends Alexane qui chuchote à haute voix. Je me rends compte qu'elle vient de lancer sur mon bureau une petite lettre pliée en trente-six. Surprise, je ne prends pas le temps de réfléchir et je fais mine de l'ouvrir. J'ai à peine touché au premier coin de la lettre qu'Alexane me crie après, toujours en chuchotant. Elle pointe Alexandra, qui lève les yeux au ciel en me disant:

— Donne-moi ça!

Évidemment, la lettre n'est pas pour moi. J'ai une vague envie de me transformer en carreau brun picoté vert pour imiter le plancher de la classe. C'est drôle, lorsqu'il est question des Girafes, il m'arrive souvent de me trouver des affinités avec le plancher. Ou la poubelle. Bien sûr, j'exclus Florence du lot. Quoique je ne suis plus certaine que c'est pertinent.

En rendant le message à Alexandra, j'ai le temps de voir le nom qui y figure: Florence. Je ne peux pas croire que je ne suis qu'un vulgaire intermédiaire. C'est si humiliant!

Pendant tout le cours, le petit manège continue: Alexane me donne une lettre, que je donne à Alexandra, qui la donne à Jessifée, qui la donne à Camille, qui la donne à Florence, qui y répond et la redonne à Camille, laquelle la redonne à Jessifée, qui la donne à Alexandra, qui l'ouvre, y écrit, me la repasse pour que je la rende à Alexane, qui lit la version finale avant d'y réécrire et de me la repasser… C'est de la torture. Tout simplement de la torture. Pire, c'est un complot. Florence punit ma curiosité en faisant exprès de me montrer que je ne suis pas seule dans sa vie. J'en ai marre de vivre des fins du monde. Mais je ne bronche pas. Je fais le facteur en restant de glace, question de geler les larmes qui veulent se pointer. À un certain moment, j'ai envie d'exploser. Elles exagèrent. Il y a maintenant plus de trois lettres qui circulent, sous le regard désapprobateur de la professeure, qui manque totalement d'autorité. Je me prépare mentalement à m'opposer à mon travail bénévole quand la cloche sonne.

Ça se passe très rapidement. En un éclair, je prends la décision de subtiliser une des lettres. Personne ne m'a vue. Personne, sauf Jessifée, évidemment.

Je fonce aux toilettes. Pour dire vrai, je prends littéralement mes jambes à mon cou, comme si j'avais un clown de film d'horreur à mes trousses. J'ai Jessifée sur les talons, une Jessifée qui veut avoir une part de mon secret. Les toilettes sont désertes; quelle chance! J'entre rapidement dans une cabine avant que la pièce ne soit envahie. Jessifée ne viendra tout de même pas me déranger dans cette posture! Il paraît que oui. J'ai à peine le temps de m'asseoir que ça frappe à la porte. Je ne réponds pas.

— Cendrine, je t'ai vue! Je le sais que tu es là! Si tu me laisses pas entrer, je vais dire à tout le monde que t'es en train de te toucher!

Je suis figée quelque part entre l'humiliation et l'incrédulité. Je rêve d'un monde où personne n'aurait le droit d'avoir un nom qui ressemble à celui d'une princesse de Disney. J'ouvre la porte rapidement et entraîne Jessifée aussi rapidement à l'intérieur. Tant pis. Si je veux l'arracher des griffes de son supposé chum et sauver le reste de l'école, je vais devoir faire des sacrifices.

— Avoue que c'était un bon truc pour te faire ouvrir la porte !

Elle rit comme une dinde ou un autre animal de la ferme, une volaille, de préférence.

— Chut, que je lui crie tout bas. Lis par-dessus mon épaule, pis tu dis un mot de ça à aucune Girafe, surtout pas à Florence. Après, on la fait disparaître dans la toilette.

Jessifée est tellement énervée qu'elle en oublie d'exagérer ses douleurs mammaires. Je déplie la lettre comme s'il s'agissait d'un colis piégé. C'est tout d'abord l'écriture serrée d'Alexandra.

T'as raison. Dans le fond, il veut juste pas comprendre qu'il n'y a pas juste lui dans la vie. C'est la même chose pour nous autres, tu sais. Je pense qu'on a pris la bonne décision. On est derrière toi, Flore.

Puis viennent les lettres ballounes d'Alexane.

Mais c'est pas mieux après le camp de sélection ?

Et, finalement, l'écriture soignée de Florence.

Non. J'ai vraiment réfléchi, et nous continuons dans le même sens. J'en peux plus de rendre des comptes tout le temps. Il me semble que ce n'est pas normal, vous ne pensez pas ? Je vais vraiment avoir besoin de vous autres, les filles. Je sais que c'est peut-être la pire erreur de ma vie, mais il faut que j'aille au bout de ça.

Rien d'autre. Évidemment, j'ai subtilisé la dernière lettre. Ne pas pleurer devant Jessifée ! Ne pas pleurer devant Jessifée ! Ne pas pleurer devant Jessifée ! Je déchire la lettre au-dessus de la toilette. Mes jointures sont blanches à force de la transformer en minimiettes. Jessifée comprend que l'heure est grave, même si elle ne sait pas pourquoi.

Pourquoi Florence aurait-elle plus besoin des Girafes que de moi pour mettre un terme à sa relation avec Tristan ? J'ai toujours été sa confidente. Elle a même toujours dit que je la comprends beaucoup mieux que les Girafes, qui, selon elle, sont trop superficielles et sortent avec des gars juste pour leur position sociale, qui se détermine par leur position sur le terrain de foot. Et pourquoi ces «nous, nous autres, vous autres»? Nous toutes sauf Cendrine, tant qu'à y être ? Les Girafes participent aux décisions de Florence ? Elles sortent toutes avec Tristan ? Elles vont se mettre en rang et lui dire «je casse» en chœur ? Non, bien sûr ! C'est autre chose. Elles sont tellement en admiration devant Florence qu'elles veulent faire exactement comme elle et laisser leur chum aussi ? Je n'y comprends rien.

Peut-être que je devrais oublier tout ça. Oublier Florence. Peut-être que Jessifée deviendra ma meilleure amie pour vrai. Peut-être que je vais demander à mamie de motiver mon absence le reste de la journée. Oui, ce serait mieux.

Pour faire une sortie discrète, je prends le corridor le moins fréquenté. Inutile de vous expliquer que c'est celui où Gargamel a élu domicile. De toute façon, ai-je vraiment le choix ? C'est ça ou je continue à regarder Florence comploter avec ses nouvelles meilleures amies, Jessifée sur les talons. J'ai dû prétexter une urgence de fille pour la faire enfin sortir de la cabine. En passant tout près du bureau de Gargamel, je ferme les yeux dans l'espoir de devenir invisible. Je l'imagine déjà en train de me dire :

— Cendrine – pause – tu es presque déjà – pause – in-viii-siiii-ble, tant ton corps est décharné…

Alors que je crois avoir traversé saine et sauve la fosse aux crocodiles, j'entends la voix nasillarde de mon psycho-machin-dindon à deux cennes préféré :

— Ah ben ! De la belle visite ! T'es pas en cours, toi ?

Je me retourne lentement, très lentement. Si lentement que j'ai le temps de réaliser que Gargamel ne s'est pas adressé à moi avec sa lenteur habituelle. Je dirais même qu'il a un ton enjoué. Alors que j'ai presque fait demi-tour, j'entends une voix, oh! si douce à mes oreilles! lui répondre:

— Gabanane, on dirait que ç'a bien été, ta première semaine. Les filles se tiennent les fesses serrées!

Gabanane? Je crois que je préfère Gargamel.

Ils rient tous les deux. Gargamel et le beau Patrice Barré rient. À les voir ainsi, on dirait qu'ils ont gardé les cochons ensemble, comme dirait mon père. Je me rends compte qu'ils ne m'ont même pas vue. Je me cache derrière un pan de mur pour assister à ce spectacle désolant.

— Est-ce que je t'ai dit merci, toi? demande Gargamel sur un ton reconnaissant.

— Ça fait dix fois que tu me dis merci. Tu vas m'en devoir une, JF!

— On est quittes là, Pat; c'est toi qui m'en devais une, pis une maudite grosse à part de ça.

— Ouin. Je sens que j'ai pas fini de te la remettre, celle-là!

— Tu sais quoi faire…

JF? Jean-François? Jean-François comme dans «Hé! JF, attrape ça!», «Viens-tu au party demain, JF?», «JF? Il est pas ici, mais je peux prendre le message». Jean-François comme dans «Je porte un nom tellement banal que personne ne me remarque»? Je n'arrive pas à y croire. Ils rient de bon cœur. Soudain, ça me saute au visage. Gargamel a le même âge que Patrice. Gargamel, l'affreux Gargamel avec son costume ridicule et son crâne dégarni a l'âge d'être le chum de… Jessifée? L'idée me fait frissonner de dégoût. Est-ce que je suis en train d'assister à une discussion entre deux amis ? Je dois halluciner. Mais non. Pat et JF-Gabanane-Gargamel se racontent leur fin de semaine de façon décontractée en faisant des blagues. Je dirais même que le second parle presque à une vitesse normale. Décidément, quand Gargamel n'est pas en consultation, il est nettement plus sympathique. Sympathique ? Je ne peux pas croire que j'utilise ce qualificatif en parlant de lui. Non. C'est impossible. Je suis certaine qu'ils ne sont pas vraiment amis et que Patrice n'a juste pas le courage de l'envoyer promener, comme moi avec Jessifée. C'est ça. Patrice est trop gentil et il est incapable de se débarrasser de son ami du secondaire, qui lui colle aux fesses parce qu'il n'a aucun autre ami. Patrice a tellement pitié de lui qu'il lui trouve même un emploi dans la même école secondaire que lui. C'est triste, vraiment triste.

Soudain, j'ai du mal à respirer. L'angoisse m'obstrue la gorge d'un coup sec. Et si… J'ai peine à formuler mon idée, tellement elle est terrifiante. Et si j'étais la Gabanane de Florence ? C'est peut-être pour cela qu'elle est distante. Elle essaie de me faire comprendre de faire de l'air. Elle préfère être entourée de Girafes. Mon peu de confiance en moi s'émiette avec un bruit de cœur brisé. Je tourne les talons, la mort dans l'estomac, ma mamie dans la tête. J'ai juste le temps d'entendre Patrice dire :

— En tout cas, t'es pas sur le bord d'être au chômage. Je t'en envoie quelques nouvelles d'ici peu !

— Merci, là ! Bonne journée !

Merci? Merci comme dans «plus il y aura d'anorexiques, plus mon chèque de paye sera gros»? Il me faut de l'air. Maintenant. La fenêtre au bout du corridor laisse passer une petite brise printanière et un rayon de soleil prometteur. Il fait un temps radieux et, moi, j'ai juste envie de me déchirer en petits morceaux et de me jeter dans une toilette. Comme je suis seule, je laisse couler quelques larmes que je retiens depuis une éternité.

Merde! Le concierge m'a vue. Il me fait un clin d'œil, ses mains toujours soudées à son balai. Je suis résignée. J'attends qu'il engage la conversation, mais il n'en fait rien. Aujourd'hui, il parle avec ses yeux. Il me dit de ne pas m'en faire. La cloche du début du prochain cours sonne. C'est la première fois que je ne me sers pas de cette excuse pour me sauver du concierge.

8

DES SECTES ET DES ŒSTROGÈNES

JEUDI MATIN 8 MAI

J'ai encore fait un cauchemar. Mais, bon. On peut dire que j'ai couru après. Je suis, bien sûr, allée me réfugier chez ma grand-mère après m'être sauvée de l'école, en prétextant un gros mal de gorge. Je n'ai pas eu à m'obstiner bien longtemps pour qu'elle appelle mon père au travail, ce pour quoi elle a dû avoir recours au service d'inter-médiaire téléphonique ; ma grand-mère résiste à avoir une adresse courriel. Elle a donc convaincu mon père de motiver mon absence pendant qu'elle prendrait soin de moi. Me sachant entre bonnes mains, il a tout de suite accepté.

Comme ma grand-mère fait une longue sieste l'après-midi, j'en ai profité pour louer un film que je voulais regarder depuis longtemps, celui sur Moïse Thériault, chef de la secte dont je faisais partie dans le fameux rêve qui m'était revenu à la mémoire le matin avec autant d'acuité. Je savais très bien que ce film allait me faire peur à mourir, mais je me sentais comme un devoir de le regarder. Allez savoir pourquoi ! C'est comme les films sur la Deuxième Guerre mondiale ou celui sur la tuerie de Polytechnique ; mon frère dit qu'on a le devoir de les regarder pour préserver la mémoire des victimes.

En fait, ce que je voulais vérifier, c'était ce que cette histoire allait susciter en moi. Je suis sérieuse quand j'affirme que je me demande si j'ai vraiment été l'une des filles de la secte dans une autre vie. Je sais, je suis complètement folle. C'est ce que Camille pense en silence. Florence, qui perce toujours le mystère des gens, me dirait plutôt que je suis une égocentrique irrécupérable. Elle m'énerve, avec ses raisonnements, mais elle a raison. Dans le fond, tout ce que je voudrais, c'est me sentir spéciale parce que j'aurais la mémoire de mes vies antérieures. J'attirerais un paquet de spécialistes et tout le monde voudrait discuter avec moi dans les partys, au lieu de me faire des petits sourires genre t'es-ben-fine,-mais-j'ai-pas-grand-chose-à-te-dire.

Toujours est-il que je l'ai enfin regardé, ce film. Et c'est bien sûr pour ça que j'ai fait des cauchemars effrayants. On y voit le moment où Moïse, Roch de son vrai nom, coupe à froid le bras d'une de ses disciples qui l'a mérité, selon lui. C'est vraiment épouvantable, cent fois pire que les films d'horreur que je regardais avec Flore quand nous étions petites pour nous faire croire que nous étions braves. C'est pire, parce que c'est arrivé pour vrai. Je déteste les films qui mettent en scène les tragédies de la vraie vie; c'est trop triste, trop dérangeant.

Mais ce qui m'a le plus traumatisée, ce n'est même pas cette scène. C'est le fait que la plupart des nounounes qui vénéraient leur gourou sont restées là, même après qu'il en eut massacré une et qu'il en eut tué une autre. Elles ont gardé confiance en lui. Certaines d'entre elles ont même déménagé à côté de la prison où il était détenu. Pour mettre un comble à leur crédulité, quand il est mort, elles ont été dévastées. C'est tout à fait incompréhensible pour moi. J'ai beau détester les conflits, si je subissais un pareil sort, je me sauverais à toutes jambes.

Dans mon rêve de la nuit dernière, c'était Patrice qui tenait le rôle du gourou et il coupait le bras de Florence. Ça m'a surprise, mais ça m'a fait encore plus peur, je ne sais pas trop pourquoi. Un mauvais pressentiment. Là, j'ai la désagréable impression que mon pressentiment pourrait se préciser. Je vous laisse tirer vous-mêmes vos conclusions; moi, je ne sais plus quoi penser. Ah oui, je sais: je dois penser à ce que je mettrai sur la liste fictive des aliments que j'ai ingurgités sans me faire vomir. Mon rendez-vous avec Gargamel est dans exactement trente secondes. Comme c'est dommage! Je n'aurai pas le temps de faire ma liste.

— * —

Je suis assise dans le bureau hostile de Gargamel-JF-Gabanane depuis au moins trente-huit bonnes secondes. Il me regarde sans rien dire derrière ses lunettes que je soupçonne de n'être que de simples verres, le genre de lunettes qu'on porte pour se donner un style. Je sais de quoi je parle, je me suis obstinée pendant une semaine avec mes parents en première année du secondaire parce que je voulais des lunettes pour être cool.

J'ai décidé de jouer franc-jeu avec lui. J'attends donc qu'il me pose une question. Il a soudain un geste d'impatience, une impatience lente, tout de même.

— Alors ?

— Alors, quoi ? que je dis, aussi impatientée que lui.

— Alors – pause – cette – double pause – liste ?

— Ah – triple pause –, vous – quadruple pause – voulez… dire… la liste des aliments que j'ai ingurgités sans me faire vomir ?

Bref, je joue son jeu.

— …

— Je n'en ai pas fait.

— Et… pour… quoi ?

Il esquisse un geste d'impatience. Si ça continue, je vais réussir à lui faire prendre de la vitesse.

— Parce que je ne me suis jamais fait vomir de toute ma vie…

J'hésite entre deux mots pour mon attaque secrète et profère finalement :

— … Monsieur Gabanane.

Quelque chose change dans son regard ; en

fait, une expression que je n'arrive pas à identifier passe en courant dans ses yeux. J'ignorais qu'il pouvait se passer quelque chose de rapide chez cet homme. J'ai presque l'impression qu'il va se mettre à me crier après ou se payer un rire démoniaque, mais il retrouve sa contenance. Je crois néanmoins que j'ai marqué un point. Décidément, cette enquête me donne une confiance que je ne me connaissais pas.

— Ce n'est pas ce que tes amies m'ont raconté.

Il attend que ses paroles produisent leur effet en dissimulant mal sa joie cruelle. C'est un à un.

— Quelles amies? que je demande en dissimulant mal ma panique.

— Ah, ça, c'est confidentiel! Secret professionnel.

Professionnel, tu parles. Je regarde autour de moi et sors mon arme numéro deux.

— Ils sont où, vos diplômes?

— Quels diplômes?

J'aimerais que la directrice soit là pour lui poser la même question, en le couvant de son regard mi-porcin, mi-extraterrestre. La même ombre que tout à l'heure repasse dans son regard. Il se tortille imperceptiblement sur son fauteuil en cuir bon marché. J'ai l'impression d'avoir fait une petite fissure dans sa belle façade de docteur qui veut juste son chèque de paye. En imagination, je vois son crâne se fissurer jusqu'à s'ouvrir pour laisser sortir tous les paquets de laxatifs confisqués. Je réattaque tout de suite.

— Je veux dire qu'il n'y a aucun de vos diplômes nulle part dans votre pla... bureau.

Je réprime un rire méprisant. C'est que j'ai failli dire le mot «placard». Je ne vais tout de même pas me mettre trop à dos mon suspect. Suspect de quoi, au juste? Je ne le sais même pas. J'essaie de soutenir son regard un rien haineux.

— Je ne suis ici que depuis deux semaines, mademoiselle Senterre. Je ne suis pas encore tout à fait installé. Mais vous avez tort de vous inquiéter pour ça.

Le voilà qui me sert tout à coup du « mademoiselle » et du « vous ». En plus, c'est lui qui réprime un rire de mépris, maintenant. C'est deux à deux. Nous n'avons pas encore parlé de mon supposé problème alimentaire, mais je sens que ça ne saurait tarder. Il reprend calmement:

— Si on revenait à nos moutons?

— Vous voulez dire à nos Girafes?

Bravo, Cendre! D'habitude, quand on me déstabilise, je me couche en boule sous une table ou un lit si l'espace le permet ou je prends mes jambes à mon cou. Finalement, il est inspirant, ce Gargamel. Il m'aura peut-être au moins appris à mettre mes culottes, aussi petites soient-elles.

— Pourquoi me parlez-vous des Girafes, mademoiselle Senterre?

Il a un regard amusé. Je ne peux m'empêcher de le détester. Pourquoi je parle des Girafes? C'est simple. Qui d'autre aurait pu me dénoncer? Ce n'est certainement pas Camille qui est allée lui dire que je suis boulimique. Et ce n'est pas Florence; en tout cas, je l'espère, mais, plus j'y pense, plus j'essaie de m'en convaincre, moins j'en suis sûre. Il faut que ce soit les Girafes. Peut-être qu'elles se sont rendu compte que je leur ai volé une de leurs lettres secrètes hier et que l'une d'entre elles, qui avait un rendez-vous avec Gargamel hier après-midi, a décidé de se venger. C'est sûrement ça. J'hésite à lui répondre la vérité. N'avais-je pas décidé de jouer franc-jeu?

— Ce ne sont certainement pas mes vraies amies qui vous ont dit que j'étais boulimique, puisque c'est archifaux. Ce doit être les Girafes.

— Pourquoi les Girafes auraient-elles fait une chose pareille?

— Euh… pour détourner l'attention de leurs propres problèmes alimentaires.

Je suis assez fière de ma réponse.

— N'est-ce pas exactement ce que vous faites vous-même en me posant des questions sur mes diplômes et en me parlant des Girafes?

Fin de la fierté. Merde! Il a raison, en plus. Je n'ai plus le choix. Je vais rejouer le jeu de l'honnêteté et sortir d'ici au plus vite.

— Écoutez, Jean-François!

Lueur de je ne sais quoi dans son regard. Peut-être que, si je dis son prénom dix-sept fois de suite très rapidement, il va exploser?

— Écoutez, Jean-François, je suis maigre. J'ai toujours été maigre, mais j'espère cesser de l'être un jour.

J'ai préparé une arme numéro trois pour l'achever. C'est une arme qui, quand on veut avoir la paix, fonctionne presque toujours avec les personnes de sexe masculin en situation d'autorité sur des adolescentes. Je renchéris:

— Je ne suis même pas menstruée.

Il est visiblement déstabilisé. Il va peut-être me laisser tranquille. Mais non, il retrouve sa froideur habituelle.

— Vous savez, mademoiselle Senterre, l'aménorrhée est un des symptômes de l'anorexie et de la boulimie.

Je crois que je n'ai jamais entendu mon nom de famille aussi souvent en une semaine.

— La mé-quoi?

— L'aménorrhée. L'arrêt des menstruations. Un poids corporel trop faible peut conduire à une baisse de la production d'œstrogènes et à un arrêt des menstruations.

Il semble réciter par cœur un exposé oral ennuyeux. Je ne suis même pas certaine qu'il sait ce que c'est, l'œstrogène. Moi non plus, d'ailleurs. Je sais que c'est une hormone féminine, nous l'avons vu en bio, mais je ne connais pas exactement son rôle. De toute façon, je m'en fous. Ce foutu Gargamel m'a encore prise à mon propre piège. Je sens la moutarde me monter au nez. Si elle se rend à mes sourcils, ça risque d'être laid. Je tente de lui répondre calmement, mais je suis surprise par un cri aigu qui sort de ma gorge:

— J'ai pas arrêté d'être menstruée, je l'ai jamais été, sainte-fly-de-grosse-pisse!

Mais qu'est-ce qui m'arrive? Je me transforme en ma mère? En plus, j'ai crié tellement fort que tout le corridor m'a entendue. En tout cas, c'est l'impression que j'ai, ou plutôt, c'est la peur que j'ai. L'important, c'est que Gargamel semble déstabilisé pour vrai. J'ai presque l'impression qu'il va me mettre à la porte. J'esquisse un mouvement pour me lever.

— Où vas-tu, Cendrine ? qu'il dit très rapidement, ce qui me semble la preuve irréfutable de sa nervosité.

Il a aussi repris son tutoiement sans avertissement.

— Manger. Je m'en vais manger le lunch que ma grand-mère m'a fait et que je vais engloutir avec appétit sans me faire vomir parce que, tout ce que je veux, c'est un jour avoir des hanches, des fesses, des seins et... un chum, sainte-fly ! C'est clair ?

Bon, je crois que j'exagère, là. Il faut croire que j'avais de la pression à évacuer. Ce doit être mon taux anormalement bas d'œstrogènes qui fait ça.

— Ce n'est pas avec une attitude comme celle-là que tu risques qu'un gars s'intéresse à toi un jour.

Je m'apprête à dépasser mon quota de sainte-fly de la journée quand je réalise qu'il vient de dire exactement la même phrase qu'à mon dernier rendez-vous, exactement sur le même ton. J'aurais bien envie de le confronter sur ses méthodes d'intervention médiocres si je n'étais pas en train de tenter de toutes mes forces d'arrêter mon menton de trembler. Je me ressaisis juste assez pour lui dire derrière mon épaule, en quittant son bureau :

— C'est pas avec une attitude comme ça que vous allez garder votre emploi, Gabanane.

Dès que je mets le pied à l'extérieur de son bureau, je commence à pleurer. Encore. Je me sens vraiment misérable. Quand je me rends compte que le concierge est là et qu'il hésite à venir me rejoindre, je m'empresse de sécher mes larmes. Décidément, il va croire que je suis une braillarde. Il fronce les sourcils et me regarde gravement. Il a l'air inquiet ou fâché, je ne sais pas trop. Il fait alors une chose qu'il ne fait jamais, il pose son balai contre le mur pour m'adresser la parole. Ce qu'il veut me dire doit être d'une grande importance. Il frappe ses mains l'une contre l'autre, ses doigts formant le chiffre deux, et fait la lettre « g » avec sa main droite en pointant le bureau de Gargamel.

Je connais ce signe. J'ai vu mon père le faire à maintes reprises à l'intention de ma mère avec un regard coquin. C'est même un des seuls signes que ma mère connaît. J'ai dû demander à mamie ce qu'il signifiait, puisque mon père s'en servait visiblement lorsqu'il ne voulait pas que mon frère et moi comprenions. Il signifie faire l'amour. Mais, là, je dois certainement me tromper. Le concierge n'est sûrement pas en train de me demander si j'ai fait l'amour avec Gargamel ou de me suggérer de le faire. Je le regarde avec un air perplexe, ce qui l'encourage à répéter le même signe. J'écarquille les yeux d'horreur en secouant vigoureusement la tête, mais il insiste. Il hoche la tête en répétant à plusieurs reprises son geste. Il s'approche même de moi et allonge le bras pour toucher mon épaule. Mais qu'est-ce qu'il me veut ? Me ramener dans le bureau de Gargamel pour qu'on y fasse l'amour ? Cette idée me donne envie de vomir de rire. Il fait du recrutement ? Mon cerveau tourne à toute vitesse pour trouver une autre hypothèse, mais il est trop tard. J'entends mes pas sonores sur le plancher en béton du corridor avant même de me rendre compte que je suis en train de courir encore plus vite que mon cerveau tourne.

— * —

Je suis toujours en train de me sauver du concierge qui, en passant, n'est pas du tout en train de me poursuivre quand j'entre en collision frontale violente avec quelqu'une. Du fait que ce sont des seins que j'ai dans le visage, je sais tout de suite qu'il s'agit d'une Girafe. Comme si j'avais vraiment besoin de ça !

— Regarde où tu vas, Cendre, me dit Florence.

J'ai le souffle coupé, à cause de ses côtes qui m'ont presque tranché la gorge, mais aussi à cause de son ton anormalement normal. Je ne sais vraiment plus comment agir avec elle. C'est comme si elle était devenue une parfaite étrangère. Alors, j'agis comme j'agis toujours lorsque je suis mal à l'aise.

— Excuse ! C'est parce que j'étais chez Garga-mel, pis là, le concierge, il a dit quelque chose que je pensais pas vraiment qu'il pouvait dire ; me semble que ça se peut juste pas, mais, dans le fond, oublie ça, c'est pas vraiment grave de toute façon, je pleure même pas, c'est pas pantoute à cause du concierge, c'est ma grand-mère qui avait un mal de gorge, c'est pour ça que j'ai motivé son absence... as-tu remarqué que Jessifée s'était fait grossir les seins ?

Florence est pliée en deux. Elle rit de moi de bon cœur. Avec tendresse, même, je dirais. Je suis prête à avoir l'air folle aussi souvent qu'elle le veut si c'est pour rallumer l'étincelle de complicité dans son regard. Je suis soulagée. Je me calme un peu, prête à recommencer mon histoire dans le bon sens. Mais j'oublie que Florence détient depuis longtemps son diplôme de traduction *cendrinienne*.

— Oublie le concierge, il est bizarre. Tout le monde dit qu'il est attardé. Moi, je pense qu'il faut se méfier de lui… J'espère que ton rendez-vous chez Gargamel s'est bien passé et que ton mal de gorge va mieux. Pour Jessifée, oui, tout le monde a remarqué, mais on a décidé de faire comme si de rien n'était. C'est juste ça qu'elle veut, attirer l'attention, et c'est certainement pas nous qui allons lui en donner.

Si ce n'étaient ses préjugés sur le concierge et l'espèce de « nous » qui fait maintenant partie de son discours, j'aurais presque l'impression que le froid entre Florence et moi n'a été qu'une hallucination. Elle semble calme et détendue, j'irais même jusqu'à dire joyeuse. Elle a son attitude de grande sœur, celle qu'elle a toujours avec moi. Pour un peu, je me mettrais à me confier à elle, mais je me rappelle que c'est plutôt elle qui devrait le faire. C'est elle qui ne me raconte plus rien. Peut-être que si je lui parlais de mes soupçons… Je ne saurais même pas par quoi commencer. Je m'apprête à lui parler de Jessifée quand elle regarde sa montre sport nerveusement.

— Je suis désolée, Cendre, il faut que j'aille à mon rendez-vous avec Gargamel.

— Toi ? T'as rendez-vous avec Gargamel ?

Je suis bouche bée.

— En fait, c'est moi qui ai pris un rendez-vous avec lui pour lui parler des filles.

Il me semblait aussi ! Florence la raisonnable, la grande sœur, la maman de tout le monde ! Florence la… langue sale qui m'a trahie ? Des soupçons germent dans mon esprit. Dommage ! Mon impression d'être redevenue sa meilleure amie n'aura duré que de très courtes minutes.

— Tu lui parles souvent, à Gargamel ? que je lui demande sur un ton faussement détaché.

— Non. C'est la première fois. Je veux juste lui dire… je voudrais qu'il laisse les filles tranquilles un peu, avant le camp de sélection. Le stress, c'est pas très bon pour leur performance.

Performance ! Si j'étais à sa place, ce mot me sortirait par tous les orifices libres. Je sais, l'image est douteuse, mais avouez que ça explique bien à quel point la performance tient une place centrale dans la vie de Florence. On dirait qu'elle s'en nourrit. Elle s'apprête à poursuivre sa route.

— Tu oublies pas que c'est ce soir, la demi-finale ?

Merde ! J'avais complètement oublié. Qu'est-ce que j'ai dit que j'y ferais, donc ?

— Tu oublies pas ce que tu es censée faire, hein, Cendre ?

— Euh… non non… c'est quoi donc, déjà ?

— Tu avais dit que tu remplacerais une des cheerleaders.

— Hein ? Moi ? J'ai dit ça ? Es-tu folle ? Je peux pas faire ça ! Je sais même pas comment faire pour… Je sais même pas comment ça s'appelle, les affaires qu'elles font ! Pis depuis quand les cheers sont à vos matchs ?

Florence rit encore de moi.

— Tu devrais te voir la face ! Mais non, Cendre ! Tu es censée arriver avant le match pour aider à installer des affiches et les nouvelles photos des joueuses.

— Ah ! Tu m'as fait vraiment peur. Je m'imaginais déjà en train de tomber en bas de la pyramide, de voler au milieu du terrain, de me faire passer dessus par douze joueuses et d'avoir l'air d'une maudite folle devant…

— Devant qui ?

— Euh… personne.

— Tu penses encore à lui !

— À qui ? réponds-je, en tentant avec chacune des parcelles de mon corps de ne pas devenir rouge tomate.

— Arrête de niaiser ! Tu le sais de qui je parle.

— Non.

— Bon, je te laisse à ton déni. À ce soir !

Et merde !

9
DES DINDES ET DES POÈTES

JEUDI SOIR : DEMI-FINALE DE VOLLEY

Il y a déjà une demi-heure que je suis devant mon miroir. Florence a raison, je fais du déni. J'essaie tellement fort de ne pas ressembler à la bande de petites poules à gloss qui courent les matchs de volleyball des Girafes juste pour cruiser les gars du collège Saint-Augustin, situé juste en face de mon école, que je réussis presque à me croire moi-même quand je dis qu'il n'y a personne qui m'intéresse. Mais c'est visiblement faux, puisque je contemple mon reflet en fronçant mes gros sourcils depuis maintenant trente et une minutes. En fait, je me fous un peu des gars du collège Saint-Augustin, puisque la moitié me semblent de vrais chimpanzés en rut. Mais je ne me fous pas vraiment de… Victor.

Bon, c'est dit. Vous pouvez y aller, c'est le temps de vous poser mille et une questions et de vous demander si la fille va finir avec le gars à la fin du roman. J'avais pourtant dit qu'il ne serait pas question de mes histoires d'amour. Histoires d'amour! Mais qu'est-ce que je dis? Il n'y a pas d'histoire du tout, encore moins d'amour. Rien à dire sur Victor. Enfin, rien à dire sur Victor et moi.

Mais, sur Victor, je pourrais dire que c'est une espèce de grande échalote aux cheveux mi-longs et aux petites lunettes rondes qui lui donnent l'air semi-intello, semi-décontracté. Par décontracté, je veux surtout dire qu'il est un peu en décalage. Mais pas en décalage comme Camille, non. En décalage comme un poète. Je sais, c'est une image cucul, mais moi, j'aime ça, les poètes, voilà! Pas nécessairement les poètes qui écrivent des poèmes, bien que je ne sois pas conne et que je sache qu'un poète est censé écrire des poèmes. C'est plutôt ceux qui ressemblent à des poètes que j'aime, les gars qui semblent un peu ailleurs, comme si les choses terrestres n'étaient pas si importantes. Mais non, je ne veux pas sortir avec un extraterrestre! Ce que j'essaie de dire, c'est… Ah! Laissez donc faire! Je suis tellement ridicule! Victor n'est même pas devant moi, il n'y a que moi qui suis devant moi en ce moment et je bafouille déjà. Imaginez si je tentais de lui adresser la parole! J'aurais évidemment l'air d'une échappée de l'asile.

Mais qu'est-ce que je vais mettre, bon sang? Bah! de toute façon, je ne l'ai vu qu'une seule fois à un match des Girafes; ça ne sert à rien d'angoisser comme ça sur ma tenue vestimentaire, puisqu'il ne sera sûrement pas là. On le voit rarement, Victor. Il est venu à un ou deux partys chez Jolianne, mais c'était il y a longtemps. Il est plutôt absent, ces temps-ci. C'est peut-être ce qui crée l'aura de mystère qui l'enveloppe et le rend si charmant.

Stop! J'arrête de m'emballer. Il ne sera pas là ce soir et, même s'il était là, il ne sait même pas que j'existe. Et puis, on s'entend que, pendant un match de volley de filles, ce qui est intéressant aux yeux d'un gars, ce sont les belles grandes jambes nues qui se propulsent plus haut que le filet. Ce n'est sûrement pas la naine aux pieds de clown qui s'enfarge dans les estrades.

Montée sur un escabeau, j'applique maladroitement des photos de joueuses aux murs du gymnase avec de la petite gomme bleue qui me colle aux doigts. Je me donne un gros maximum de dix minutes pour soit faire une chute peu glorieuse, soit avoir de la gomme bleue dans les cheveux ou les narines. Un jour, j'apprendrai à dire non. En attendant, je dois appliquer toute ma concentration à ne pas amorcer cette soirée par un moment d'intense humiliation. C'est toujours lorsqu'on est plutôt satisfaite de son look qu'il arrive un incident fâcheux.

Oui, finalement, je suis assez heureuse du résultat qu'ont donné mes quarante-cinq minutes passées devant le miroir, même si l'issue en est que j'ai choisi de porter des collants, moi qui les déteste au plus haut point. Habituellement, quand je revêts une jupe autre que celle de mon uniforme scolaire, je mets des leggings ou un jeans moulant. Mais, aujourd'hui, j'ai encore cédé à l'influence maternelle. Je ne sais pas comment elle arrive à me faire porter ce qu'elle veut. Pourtant, ma longue expérience de fille de ma mère m'a prouvé que je le regrettais chaque fois. Quand j'étais au primaire, elle me faisait toujours enfiler des accoutrements ridicules au moment de la photo officielle et j'en avais honte chaque année. Peut-être que j'étais trop soulagée qu'elle ne soit plus fâchée contre moi.

En passant devant ma chambre, tout à l'heure, elle m'a balancé, sur un ton très léger :

— Tu vas pas encore mettre une jupe et un pantalon ?

— C'est un jeans moulant, maman. C'est comme si c'était des collants.

— Ben, justement, pourquoi tu ne porterais pas de vrais collants ? Tu sais que j'en ai plusieurs paires que je peux te prêter !

Elle est comme ça, ma mère. Elle crie fort, mais elle oublie vite. Après une chicane, elle agit comme si de rien n'était. Elle ne m'a absolument plus rien dit à propos du sainte-fly-de-grosse-pisse d'appel de Gargamel. Ça m'arrange bien, au fond. Moi aussi, je préfère ne pas revenir sur les conflits. Mais j'ai l'impression que, chaque fois, il y a un poids qui s'accumule sur mes épaules. Un jour, ce sera tellement lourd que je me transformerai en vraie naine.

— Maman, je veux pas porter tes collants !

— Pourquoi ? Tu trouves ça laid, la façon dont je m'habille ?

La réponse, c'est oui. Mais bon…

— Mais non, c'est juste que c'est du linge de madame. Les jeunes s'habillent pas comme ça, c'est tout.

— Tu penses que je suis pas capable de m'habiller jeune, c'est ça ?

— …

— Tu sauras que les collants que je veux te prêter, ils sont italiens et ils valent très cher.

— Je m'en fous qu'ils soient italiens, espagnols ou papous !

J'ai eu envie d'ajouter que si elle ne s'achetait pas des collants aussi chers, elle ne s'inquiéterait pas de devoir payer un téléphone au psychologue, mais je me suis tue. Et puis, c'est quoi, chers, pour des collants ?

— Papou ? De quoi tu parles, Cendrine ?

— Ce que je veux dire, c'est que je m'en fous qu'ils aient coûté la peau des fesses s'ils sont pas à mon goût.

— Tu veux même pas les voir, au moins ?

Je n'ai donc pas eu le choix de faire une virée dans les tiroirs de ma mère. À ma grande surprise, les fameux collants italiens n'étaient pas mal du tout. Même que j'étais assez certaine que je serais la seule à porter ce genre de collants. Avec une jupe en jeans, ça pouvait facilement être très cool. J'ai donc écouté le conseil de ma mère, à sa grande satisfaction. J'ai vu dans son regard qu'elle se sentait victorieuse. Elle était tellement exaltée qu'elle s'est mise à me sortir tous ses vêtements en les commentant. Elle s'emballait tant qu'elle ne terminait aucune de ses phrases et se mettait à chercher ses cigarettes aux trois secondes en réalisant chaque fois à voix haute qu'elle ne fume plus. J'étais heureuse d'avoir un moment de complicité mère-fille, même s'il n'avait ni queue ni tête. Mais ça m'a aussi fait réaliser que c'est exactement de ça que j'ai l'air quand je suis trop énervée et que je raconte n'importe quoi. C'est assez terrifiant.

En sortant de la chambre de ma mère, je suis tombée sur Jean-Maurice, qui m'a regardée avec une tentative d'air sévère, sûrement à cause de ma petite engueulade avec sa pouliche d'amour. Oui oui, Petit Poulet et Pouliche d'amour !

— T'es pas chez ton père, toi, cette semaine ? a-t-il bafouillé.

— Oui, mais tout mon beau linge est ici.

— C'est pas à ta mère, ces collants-là ?

— Oui, mais elle me les a prêtés.

— Pour quoi faire ?

— Je m'en vais à une partie de volley.

— Tu mets des collants italiens à cinquante dollars pour jouer au volley ?

Tiens, tiens ! Je crois que je viens de trouver comment ma mère fait pour avoir des collants aussi chers.

— Ben voyons, tu sais ben que je joue pas au volley, que je lui ai répondu en pouffant de rire à l'idée d'une moi, avec ou sans collants, essayant de sauter pour atteindre le ballon; une image de science-fiction.

— C'est pour impressionner les petits gars de ton école, alors?

— Cout'donc, travailles-tu pour la police? ai-je dit, pince-sans-rire.

— Ben oui, Cendrine, tu sais bien que je suis enquêteur.

Ouah! Quel sens de l'humour! Soupir!

— Je le sais bien que tu es enquêteur, Jean-Maurice, c'était une blague. Vrai, pour un enquêteur, tu es pas trop, trop perspicace!

— Pourquoi tu dis ça? qu'il m'a demandé, piqué dans son orgueil mâle.

Je ne savais pas qu'il avait un orgueil mâle.

— Ben, je vais dans une école de filles!

— Hein? Tu vas pas à la poly?

— Ben non! Tu penses vraiment que je mets des jupes laides de même pour mon propre plaisir? C'est un uniforme scolaire. Scolaire comme dans école privée.

En passant, bravo pour le sens de l'observation!

— Mais comment tes parents font pour te payer ça?

— C'est pour ça qu'ils ont été obligés de vendre la maison. Ils ont ensuite décidé de se divorcer, un coup partis.

J'ai ravalé une larme de crocodile, fière du malaise que j'avais encore réussi à provoquer. Il a tenté un changement de sujet maladroit:

— Tu mets certainement pas des collants de même pour impressionner les petites filles!

Il se trouvait très drôle. Il me regardait d'un air complice, jusqu'à ce qu'il suive mon regard, qui louchait vers les photos de mon frère habillé en princesse sur le mur du salon.

— Pourquoi tu dis ça?

En moins de deux, Petit Poulet était dans tous ses états. Je me marrais intérieurement. C'est qu'il est tout de même divertissant, Jean-Maurice. Il s'est ressaisi et il a retrouvé son air grave d'enquêteur.

— C'est laquelle, ton école privée?

— Sainte-Marguerite.

— Bon, oublie ce que je t'ai dit l'autre jour à propos des gars louches. Ça se passe pas pantoute dans le coin de ton école.

— Ça veut dire que la fille pas-habillée-pour-aller-à-la-messe, c'était pas une fille de mon école, mais une fille de la poly?

— Exactement. Les petites filles des écoles privées, ça se ramasse pas dans des taudis de même avec des trous de... euh... des messieurs mal intentionnés. De toute façon, cette histoire-là, ça tourne pas mal autour du centre-ville, pis ton école, elle est pas mal loin du centre-ville.

Félicitations pour la belle déduction, Sherlock!

— Ben, en bus de ville, ça se fait super vite. Je le sais, il y a plein de filles de mon école qui passent leurs midis au centre-ville.

— J'ose espérer que tu y vas pas avec elles?

— Non non, mais...

— Mais quoi? Elles t'achalent pour que tu y ailles, c'est ça? T'es pas obligée d'écouter ces petites filles là, tu sais!

Il m'a dardée d'un regard pire que celui de

mon père et de ma mère réunis. C'est bien connu, le centre-ville, c'est possédé du démon. Il allait sérieusement sortir son carnet d'enquêteur pour prendre des notes quand je l'ai coupé.

— Mais non! Je leur prête ma passe d'auto-bus, c'est tout!

Il a secoué gravement la tête.

— C'est tellement triste! Y a des parents qui payent pour mettre leurs filles dans la meilleure école et c'est comme ça qu'elles les remercient! J'aime pas ben ben ça que tu les encourages à ta manière, Cendrine. Mais je dois dire que je suis soulagé que tu te laisses pas influencer par ces petites filles là. J'ai rien qu'un conseil à te don-ner, tiens-toi loin du centre-ville. Si jamais tu as affaire à y aller, arrange-toi toujours pour repérer une affiche Parents-secours pas trop loin.

Parents-secours? Vraiment, Jean-Maurice? La dernière affiche Parents-secours a dû finir de jau-nir avant ma naissance…

C'est ridicule, mais, à ce moment, alors que j'aurais dû être soulagée, j'ai senti une certaine déception. Moi qui avais tant souhaité que quelque chose se passe! Mais je n'ai tout de même pas rêvé l'histoire du chum louche de Jessi-fée, quand même! Et puis, est-ce que le concierge pourrait avoir quelque chose à voir là-dedans? Je l'ai relancé.

— Ça veut pas dire que les gars louches tournent pas autour de notre école, ça. Pis peut-être que les messieurs mal intentionnés, comme tu dis, ils sont pas autour de l'école, mais dans l'école?

Il m'a regardée avec tendresse, comme si j'avais un an et demi et qu'il allait m'expliquer que les chats font miaou, miaou et les chiens, wouf, wouf.

— Ben voyons, Cendrine! Ces gars-là, ça achale pas les petites filles des écoles privées!

Exactement. Et tu sais quoi, Jean-Maurice? Plus les parents payent cher pour l'école privée, plus leur fille évite les dangers de la vie. C'est prouvé. Si c'est vraiment ce qu'il croit, c'est trop clair qu'il n'y a aucune collaboration possible entre lui et moi. Je ne sais pas trop pourquoi, mais ça, par contre, ça m'a soulagée.

Du haut de mon perchoir, une photo dans une main et de la gomme bleue dans l'autre, j'essaie de remonter mes maudits collants qui descendent. Il y a un truc auquel ni ma mère ni moi n'avons pensé : elle mesure cinq pieds six, c'est-à-dire six pouces de plus que moi. Ses collants italiens ont beau être chers et remplis de motifs originaux, ils sont beaucoup trop longs et font des plis sur mes genoux. J'ai encore l'air d'une petite fille qui s'est déguisée en madame. Je commence à en avoir marre de prendre de mauvaises décisions. Au moins, je réussis à terminer ma tâche avant l'arrivée des spectateurs. C'est toujours ça de gagné! Je descends prudemment l'escabeau et arrive au sol sans me casser la gueule. Il y a peut-être de l'espoir, après tout.

Je me dirige vers les estrades en remontant discrètement mes collants. Florence vient vers moi avec un regard amusé. Je sens que je vais me prendre un commentaire désobligeant sur ma tenue vestimentaire.

— Sont vraiment beaux tes collants, Cendre…

— Arrête de niaiser, je le sais que j'ai l'air folle !

— Non, je suis sérieuse, là. J'ai jamais vu des motifs aussi hot sur des collants. Tu as pris ça où ?

Si Florence me ment depuis une semaine, je peux bien en faire autant.

— Je les ai trouvés dans une friperie. C'est des collants italiens. Ils valent vraiment cher, mais je les ai eus pour dix dollars.

— Ouah !

Son sourire moqueur ne la quitte pas. Elle commence à m'énerver…

— Ben, là, arrête de rire de moi, Flore ! Si tu les trouves laids, t'as juste à me le dire, pis je vais retourner chez moi !

— Hé ! arrête de paranoïer, je te dis qu'ils sont vraiment beaux !

— Pourquoi tu ris, alors ?

— Parce que je sais pour qui tu les as mis, pis qui va être là ce soir !

Immédiatement, mes oreilles s'enflamment et se remplissent du bruit de mon cœur qui accélère son rythme. Je paierais cher pour savoir comment mettre un doigt dans l'engrenage qui fait en sorte que, dans huit secondes et demie, des plaques rouges couvriront mon cou et mon visage. Maudite rousseur !

— Ah, ah ! Tu es rouge ! Je le savais que tu pensais encore à lui ! Veux-tu que je lui réserve une place à côté de toi ?

— Si tu fais ça, Florence Grandmaison, je te parle plus jamais !

Elle serait bien capable de me jouer ce tour-là. Elle a déjà fait pire. À la Saint-Valentin, il y a deux ans, les clowns du conseil de classe ont décidé de faire un courrier du cœur entre Sainte-Marguerite et Saint-Augustin. Imaginez-vous donc que j'étais dans l'équipe de génies en herbe ! Florence a pris la liberté d'envoyer une lettre d'amour en mon nom à un gars que j'avais remarqué dès le premier match. Pour ma défense, c'était le plus beau et le moins sociopathe de l'équipe. Il avait un petit air rêveur, un air de... Je ne dirai pas « poète », vous allez encore rire de moi.

Elle a fait ça soi-disant pour m'aider, sachant que j'étais trop gênée pour écrire moi-même. Pour m'aider à me caler, oui ! Le gars n'a jamais donné suite à la lettre et j'ai été si humiliée que j'ai quitté sur-le-champ l'équipe de génies en herbe, au grand soulagement de Jolianne, qui me répétait toujours que ce n'était pas en étant étiquetée « génie » que je réussirais à me faire un chum un jour.

Je n'ai donc pas du tout envie que Florence bousille encore mes chances avec un gars.

Ah ! ce que je suis pathétique ! C'est trop évident que je n'ai aucune chance. Je fais une moue à Florence, mais elle garde son air amusé.

— Bon, c'est décidé. Je prépare tout de suite une affiche au nom de Victor. Victor qui, déjà ?

C'est vrai, ça ; Victor qui ? Elle se trouve tellement drôle ! Prise de panique, je ne trouve qu'une seule chose à dire pour détourner l'attention :

— As-tu réservé une place pour Tristan, toi ?

Son regard se durcit automatiquement. Elle semble sur le point de se mettre à pleurer. Ce que je suis conne ! Je n'évalue jamais le poids de mes paroles. Quand je me sens humiliée, ma douleur est si grande que mes attaques sont souvent démesurées. Elle marmonne :

— On n'est plus ensemble.

Et elle tourne les talons pour rejoindre quelques-unes de ses coéquipières et son entraîneur, le beau Patrice, qui me gratifie d'un regard noir. J'ai soudain envie de retourner chez moi mettre des leggings. Ou mon pyjama, tant qu'à y être.

Patrice met son bras autour des épaules de Florence et lui glisse à l'oreille quelques paroles réconfortantes que je n'entends pas. Je ne sais pas ce qu'il lui dit, mais ça ne semble pas fonctionner. Florence fait un effort considérable pour retenir ses larmes, même si ça ne paraît pas du tout. Mais moi je la connais ou, du moins, je la connaissais. Je suis en train de me demander si je vais m'excuser ou si je vais prendre ma place dans les estrades quand je passe à deux doigts de recevoir un ballon dans le visage. Je me rends compte que je me tiens à l'intérieur des limites du terrain et que je suis visiblement dans les jambes des Girafes qui s'échauffent. Je suis toujours dans les jambes. Mes jambes à moi aimeraient bien ne pas avoir de collants dans les jambes.

Je m'assois au milieu de nulle part, prête à regarder un match qui m'ennuiera à mourir après cinq minutes. Je ne comprendrai jamais l'engouement des gens pour la compétition. Camille choisit ce moment-là pour venir me rejoindre. Elle a un immense sourire sur le visage et, comme d'habitude, sa tablette à dessin sous le bras.

— Sont donc ben beaux, tes collants !

Je commence à le croire. Pour une fois que c'est moi qui impressionne Camille…

— Merci. Toi, tu t'es donc ben mise belle !

C'est vrai. Il est rare que je voie Camille aussi bien arrangée pour un match de volley. Habituellement, elle se fait discrète, s'installe dans un coin retiré et dessine. Elle est en quelque sorte l'illustratrice officielle des Girafes. C'est elle qui a dessiné le logo de leur chandail. Aujourd'hui, elle porte un jeans juste assez ajusté et un long chandail rayé noir et rouge qui souligne ses formes généreuses. Je crois même qu'elle a mis du mascara. Bon, moi aussi, j'ai mis du mascara.

— Toi aussi, me répond-elle sur un ton accusateur.

J'adopte l'attitude de Florence, question de me venger sur quelqu'un.

— J'espère pour toi qu'il va être là ce soir…

Son visage s'empourpre illico presto. J'ai vu juste !

— De qui tu parles ? répond Camille en faisant visiblement semblant de ne pas comprendre.

— Tu le sais très bien.

— Non… pis toi non plus !

Elle aussi a vu juste. Je ne sais pas du tout de qui je parle, puisque Camille, contrairement à Florence et à moi, reste assez discrète au sujet des gars. Je la soupçonne d'être tellement certaine de ne jamais intéresser personne qu'elle préfère se tenir à l'écart de ce genre de discussion. Je n'ose jamais aborder ce sujet délicat avec elle. Je ne saurais pas quoi lui dire, sachant très bien que les gars ne font pas la file devant les filles enrobées. Ni devant les cure-dents comme moi, faut dire. Si au moins j'avais la taille d'un bâton à brochette! On peut néanmoins dire que, à voir le temps que nous avons visiblement passé devant le miroir chacune de notre côté, nous avons de l'espoir. C'est important, l'espoir. En tout cas, c'est ce que ma mère dit tout le temps quand elle regarde ses films poches de faits vécus.

J'essaie de trouver une stratégie pour faire parler Camille quand ses yeux s'écarquillent et qu'elle se met à se tortiller en jetant des regards nerveux derrière moi. Finalement, je n'aurai pas besoin de lui tirer les vers du nez.

— Il est derrière moi? que je chuchote.
— Qui, ça?
— Voyons, Camée!
— Je sais pas de quoi tu parles.

Pour clore la conversation, elle prend un crayon et fait mine de se concentrer au maximum sur un dessin invisible. Ce n'est pas grave. Je n'ai qu'à me retourner et j'aurai réponse à ma question. J'essaie d'être discrète, tout de même. En bonne espionne que je suis, je regarde de tous bords tous côtés à la recherche d'amies imaginaires en plissant les yeux de façon très sérieuse et je pose au passage un regard discret sur celui qui fait tant d'effet à Camille. Mon cœur fait trois tours dans ma poitrine, puis quarante-huit autres quand je comprends la gravité de la situation.

Derrière moi, il y a deux gars assis côte à côte, Tristan et… Victor. Ce n'est certainement pas pour Tristan que Camille s'est mis du gloss. Mais oui, Camille s'est mis du gloss ! Mais elle ne ferait jamais ça à Florence. Elle est l'amie la plus fidèle que je connaisse. Lunatique et amnésique, mais fidèle. C'est donc Victor qui la met dans cet état. J'imagine qu'elle a totalement oublié qu'il y a trois mois je n'arrêtais pas de lui casser les oreilles avec Victor. À moins qu'elle n'ait tout simplement pas écouté, ce qui est plus plausible. En fait, ce qui est le plus probable, c'est plutôt que, au moment où je lui montrais Victor du doigt, elle regardait un vieux barbu qui passait derrière lui en se disant que j'avais de drôles de goûts, mais sans me poser de questions ni me juger. C'est ce que je disais. Une amie fidèle qui aime inconditionnellement, mais lunatique et amnésique.

Je suis vraiment embarrassée. Je ne me suis jamais retrouvée en compétition comme cela avec une de mes amies. En fait, il m'est déjà arrivé d'avoir le béguin pour un garçon qui faisait de l'effet à Florence, mais je n'ai jamais considéré cela comme de la concurrence, puisque c'était perdu d'avance. Mais là, avec Camille comme rivale, j'ai l'impression que nous sommes à armes égales. J'ai une irrésistible envie de me retourner. Camille aussi, visiblement, puisqu'elle n'a fait aucun trait de crayon depuis quelques minutes. Elle change de position toutes les deux secondes en faisant semblant de regarder attentivement le match à la recherche de son sujet à dessiner. Je n'avais même pas remarqué que le match était commencé.

Allez, si les gars ont les yeux posés sur les Girafes, ils ne remarqueront pas que je les regarde. Je me retourne. La première chose que je remarque, c'est que Victor est en train d'écrire quelque chose dans un cahier à spirale. Mais c'est qu'il est peut-être un véritable poète ! Je l'imagine déjà en train de me faire la sérénade sous mon balcon.

Ah merde ! Tristan m'a vue. Il ne semble pas de très bonne humeur. Je lui fais un petit sourire poli, c'est-à-dire crispé et artificiel. Ah non ! Il se lève et vient prendre la place libre à côté de moi. Moi qui suis pourrie dans les situations délicates ! Je devrai me concentrer très fort pour ne pas laisser échapper comme une vraie conne : « Comment ça va avec Florence ? » Mon Dieu ! Victor se lève aussi et se dirige vers la place libre à côté de Camille ! Ce n'est pas juste !

— Salut, me dit Tristan, faussement désin-volte.

— Salut, que je bredouille.

— Euh… viens-tu au party chez Jolianne demain ?

— Oui oui. Toi ?

— Ben, je sais pas trop, là. Je sais pas si Florence va être là !

— Oui, elle va être là, elle me l'a dit.

— Même si elle a le camp de sélection le lendemain ?

C'est vrai, ça. Je n'y avais pas pensé. Florence ne va jamais à un party la veille d'un match important.

— Ben, je sais plus trop, là. Me semble qu'elle m'a dit qu'elle allait être là… Tu veux pas la voir ?

— Florence te l'a pas dit ?

Ne pas répondre : «Dit quoi ?» Ne pas répondre : «Dit quoi ?» Ne pas répondre : «Dit quoi ?» Trop tard.

— Dit quoi ?

— Ben... qu'on n'est plus ensemble !

Je suis la reine des gaffeuses.

— Ah ? Ça ? Euh... oui, elle me l'a dit, mais euh, je pensais pas que c'était sérieux.

— C'est sérieux. Ça fait déjà presque deux semaines et elle m'a même pas rappelé pour me donner une explication qui tient debout.

— Deux semaines ? Je pensais qu'elle t'avait laissé, genre, hier.

Je ne comprends pas. La lettre que j'ai lue dans les toilettes, ce n'était pas ce qu'elle semblait dire.

— Cout'donc, vous parlez-vous encore, vous deux ?

— Ben oui... C'est que Florence est pas mal occupée ces temps-ci et elle a pas vraiment eu le temps de m'expliquer votre histoire.

— Ben c'est justement ça, le problème. Florence a jamais le temps de.

— Ah oui. Ça, elle m'en a parlé. Tu... as de la difficulté à... accepter qu'elle ait d'autres occupations que de sortir avec toi ?

Je croirais entendre Gargamel. Ou ma mère. Je me donne la nausée. Et si j'allais me faire vomir dans le vestiaire des Girafes ? Comme je suis drôle ! Tristan ne semble pas de cet avis :

— J'ai pas de misère à accepter qu'elle ait une vie, si c'est ça que tu veux dire, j'ai de la misère

182

à accepter qu'elle voie quelqu'un d'autre dans mon dos!

— Ben voyons! Florence a pas le temps de te tromper! Pis avec qui tu veux qu'elle te trompe, hein? Elle passe son temps avec son équipe de…

Je m'arrête net au milieu de ma phrase, assaillie par un doute bouleversant. Mon regard se pose sur Florence, assise sur le banc des joueuses à côté de Patrice. Je tourne la tête lentement, craignant de trouver sur le visage de Tristan la même évidence qui vient de sauter au mien. Il a les pupilles rivées à celle à qui il a fait une déclaration d'amour chevaleresque au party de l'Halloween. Son regard est dur. Il me répond sans bouger:

— J'attends juste d'avoir des preuves. J'ai hâte de voir la réaction de son père quand il va apprendre ça.

De l'autre côté du gymnase, les yeux de Florence se posent sur nous. J'ai beau chercher dans mes souvenirs, je n'ai jamais vu ce regard-là chez elle. Triste. Désespéré. Haineux. Défiant. Je ne sais pas trop.

Je me ressaisis. C'est impossible. Florence ne peut pas… ne peut pas être avec Patrice. C'est la seule qui, justement, ne fond pas devant lui, c'est la seule qui ne fait pas semblant de passer par hasard devant son bureau, la seule qui ne se tortille pas une mèche de cheveux en dansant sur un pied devant lui. En plus, si je me souviens bien, lundi dernier, quand Patrice a remplacé le prof d'éducation physique, elle a dit:

— Les petites fifilles sont énervées parce que le prof d'édu se fait remplacer par le coach des Girafes.

Elle ne semblait pas du tout enthousiaste à cette idée. À moins que... Était-ce de la jalousie? Je n'en crois pas mes propres pensées. Décidément, Florence me devient de plus en plus étrangère. Moi qui étais bourrée de préjugés à propos de Jessifée, me voilà bien servie.

Je suis tirée de mes pensées par un gloussement de dinde. Je tourne automatiquement la tête vers les fumeuses, qui fréquentent les matchs non pas pour l'amour du volley, mais pour celui du collège Saint-Augustin. Je repère Annabelle, qui commence sérieusement à s'incruster dans ce groupe. Ça me surprend. Habituellement, elle en fait sa cible préférée lorsqu'elle passe ses midis à notre table. Ça fait pourtant plusieurs fois que je la vois avec la bande. Elle commence même drôlement à leur ressembler, je m'en avise tout à coup. Elle aussi fait des excès de décolleté et de fer plat. Elle semble présentement très absorbée par le cours d'utilisation du iPhone qu'elle donne à Cassandre, laquelle ne semble rien comprendre au sien.

Mais le gloussement de dinde ne vient pas d'elles, il vient de Camille. De Camille, qui rit très fort des blagues de Victor en s'appuyant sur son bras. Classique comme approche. Je ne sais pas si les filles réalisent à quel point elles ont l'air cruches quand elles cruisent. C'est peut-être pour ça que je ne le fais pas. Je n'avais jamais vu Camille se prêter à ce jeu. Tant mieux pour elle;

184

ça semble fonctionner, à voir comment Victor se penche à son oreille pour lui susurrer je ne sais quelle idiotie. Ils échangent maintenant leur tablette à dessin en riant à tue-tête. Leur tablette à dessin ? Victor n'est donc pas un poète, mais un dessinateur ? Dessinateur et toujours un peu en décalage. En y réfléchissant, il n'y aurait personne de plus approprié pour Camille, finalement. De toute façon, il n'est même pas si beau que ça, à bien y penser. Je sais ce que vous vous dites. Je suis jalouse. Oui, je suis jalouse. Il ne me reste plus qu'à aller rendre les collants italiens à ma mère et à adopter le pyjama de mamie pour toujours.

J'envisage sérieusement de quitter le match quand une huée violente de la foule attire mon attention. Je ne comprends absolument rien aux règles de ce jeu, mais, visiblement, Marianne a fait une connerie et elle s'est pris une punition ou une pénalité, je ne sais pas trop comment ils appellent ça. Penaude, elle se dirige vers le banc où un Patrice Barré en furie l'attend. Discrètement, mais fermement, il lui serre le bras en lui postillonnant ses remontrances dans l'oreille. Il tente de rester calme, mais son visage devient de plus en plus rouge, alors que le bras de Marianne devient de plus en plus blanc. Il semble totalement hors de lui. Marianne, elle, est sur le point de pleurer. Elle fait des signes de tête en tentant d'arrêter son menton de trembler. Florence, qui s'apprête à faire un service, s'interrompt en apercevant la scène que j'observe avec stupéfaction. Tout le monde attend après elle, mais elle ne bouge pas, hésitant à aller tirer Marianne de sa mauvaise posture. Le regard que Patrice lui décoche à ce moment-là est terrifiant. J'ai vu le même dans un film qui m'a fait faire des cauchemars dernièrement.

10

DES MISSIONS ET DES GORILLES

Ça fait une demi-heure que je suis devant mon miroir. J'ai comme un désagréable sentiment de déjà-vu. Mais au moins, je sais que ça ne se terminera pas avec une paire de collants trop grands qui me donnent du psoriasis, cette fois. Au moins, aussi, je suis en compagnie de Camille, avec qui je prends plaisir à jouer à la fille avant un party important. Elle et moi, nous faisons toujours ça avant d'aller chez Jolianne. Nous nous réunissons, nous mangeons de la pizza trop grasse que Florence ne voudrait jamais ingurgiter et nous passons des heures à glousser comme des dindes, à essayer différents vêtements et à potiner. Là, je sais ce que vous pensez. OK, je l'avoue, moi aussi j'aime bien faire la dinde une fois de temps en temps. Mais moi, je ne me prête pas à cette mascarade en public et encore moins pour me livrer au jeu de la séduction.

Parlant de séduction, avant un party chez Jolianne, Camille et moi jouons à un jeu que nous avons inventé, le *Glou*, comme dans glou glou glou, le bruit que font les dindes. Il s'agit d'une variante de *Clue*, vous savez, le jeu où on doit deviner qui a tué qui dans quelle pièce et avec quelle arme. Nous élaborons des hypothèses secrètes sur les éventuels événements qui se produiront au party. Nous les inscrivons sur de petites cartes que nous ne dévoilons que le lendemain. Par exemple, à propos du party de ce soir, je pourrais écrire quelque chose comme :

Quoi ? Jessifée fait une scène à son chum.
Où ? Dans le salon, devant le plus de gens possible.
Arme ? Larmes de crocodile et mascara vert coulant.

La plupart du temps, il s'agit plutôt de formations de couples, genre :

Quoi ? Florence et Tristan.
Où ? Sur le balcon.
Arme ? Robe médiévale trop décolletée.

Habituellement, ni moi ni Camille ne sommes ciblées par nos hypothèses. C'est que nous ne sommes pas très optimistes sur nos histoires d'amour. Ce qui est bien, là-dedans, c'est qu'entre nous deux il n'y a jamais eu de compétition. Jamais jusqu'à hier. J'aurais envie d'inscrire :

Quoi ? Camille et Victor.
Où ? En décalage.
Arme ? Tablette à dessin et gloussements de dinde.

Mais je me retiens. J'écoute Camille me parler de son beau Victor, qui lui a demandé hier, après le match, si elle serait au party de ce soir. Elle a pris ça pour une invitation et je ne l'ai jamais vue hésiter autant sur sa tenue vestimentaire. Elle m'a cassé les oreilles toute la journée avec.

D'ailleurs, la journée a été très bizarre. Faut dire qu'elle a très mal commencé; j'ai fait mon cauchemar récurrent. J'ai encore rêvé que mamie se faisait frapper par une voiture qu'elle n'avait pas entendue venir, et qu'elle mourait, là, au milieu de la rue, sans que personne soit capable de déchiffrer ses dernières paroles à cause de son accent bizarre. Ça me hante. Je ne sais pas ce que je ferais si ça arrivait pour vrai. Je sais bien qu'elle mourra un jour, mais je voudrais que ce soit quand ma petite fille de quatre ans inté-rieure aura grandi. Si ça arrive un jour, ce dont je doute.

Aujourd'hui, c'était une de ces journées où l'ambiance était palpable. Tellement qu'il était possible de s'étouffer avec si on se promenait trop longtemps la bouche ouverte. J'en ai peut-être trop avalé parce que, même moi, je n'ai pas mangé mon lunch. En plus, c'était une ambiance bipolaire. Comme c'était le jour de congé de Gargamel, le niveau de stress ambiant était à la baisse. Cependant, étant donné qu'il y a un party chez Jolianne ce soir, le niveau d'électricité était à la hausse. En outre, les Girafes ont perdu le match d'hier et elles seront éliminées si elles ne gagnent pas le prochain, de sorte que le moral était assez bas. Pour contrebalancer, il faisait à peu près 30 °C, ce qui laissait planer comme une odeur de fin d'année scolaire. Vous voyez le portrait.

Chez les Girafes aussi ça sentait la bipolarité. Elles semblaient à vrai dire assez dingues, et non dindes. Elles alternaient entre faire la gueule à cause de leur défaite et faire les fraîches à cause du camp de sélection de demain. Florence ne faisait rien de tel. Elle semblait ailleurs. Elle flottait quelque part au-dessus de tout ça, inaccessible.

Moi aussi. C'était comme si tout le monde était dans une bulle que je n'arrivais pas à percer. Je percevais bien toutes les émotions contradictoires qui faisaient des flammèches, mais je n'arrivais pas à les ressentir. Enfin, tout ce que je ressentais, c'était une grosse boule dans mon estomac ; j'avais le sentiment bizarre que tout ça ne sentait pas bon, pas bon du tout.

— Cendrine ! Tu m'écoutes pas !

— Quoi ?

— Est-ce que c'est mieux, ce chandail-là, avec le pantalon de tout à l'heure ?

— Euh… Les deux, c'est beau égal.

— Tu m'aides pas !

Camille a apporté toute sa garde-robe chez moi et elle me demande un avis détaillé sur chaque kit possible. Elle est presque insupportable. Mais elle est si heureuse qu'il m'est impossible d'être fâchée contre elle. C'est la première fois que ça lui arrive. Je ne peux pas gâcher ça. Elle est tellement sur un nuage qu'elle ne remarque même pas que je n'ai presque pas touché à ma pizza et que mes sourires sont si faux que je ressemble à la photo de cinquième année de mon frère. En fait, elle pense que je suis préoccupée par l'histoire des Girafes.

J'ai profité de notre soirée à deux pour tout lui raconter sur la dernière semaine : Gargamel, Florence, les mensonges, Tristan, les lettres et même mes soupçons basés sur les seins de Jessifée. Elle n'en croit pas ses oreilles. Elle est tellement toujours dans ses cahiers à dessin qu'elle ne remarque jamais rien. Bien sûr, elle a compris qu'il se passe un truc louche avec les Girafes, mais elle a associé le tout à l'opération de chasse à l'anorexique que la direction a entreprise avec l'aide de Gargamel. Je dois avouer que je l'ai un peu embarquée dans mon délire paranoïaque et que je lui ai donné un rôle de taille dans ma mission détective privée de ce soir. Quoi ! Je ne peux pas être partout à la fois ! Nous avons même fait une liste. Avec l'histoire de Victor et notre mission, Camille est tellement énervée que j'ai peur qu'elle fasse pipi sur mon lit. Sans blague. Ça fait deux fois qu'elle renverse son café en une demi-heure.

Mission Girafes et prothèses mammaires

1. Observer le comportement des Girafes et, si possible, les espionner pour comprendre leurs absences des derniers jours : Cendrine ou Camille ;

2. Prendre Florence à part et la confronter une fois pour toutes sur les mensonges de la semaine : Cendrine ;

3. Être super enchantée de rencontrer le chum de Jessifée et essayer d'en savoir le plus possible sur lui : Cendrine ou Camille ;

4. Faire un portrait-robot du chum de Jessifée : Camille ;

5. *Comprendre pourquoi Annabelle est fâchée contre Cendrine et, tant qu'à y être, tenter de déterminer son orientation sexuelle : Cendrine ou Camille ; optionnel ;*

6. *Être certaine que Victor est intéressé par Camille : Cendrine ;*

7. *Se rapprocher de Victor et, si l'occasion se présente, l'embrasser : Camille.*

Je ne peux pas croire que c'est moi qui ai insisté pour écrire le dernier point. Camille est toute rouge. C'est peut-être aussi parce qu'elle est essoufflée d'avoir essayé plus de vingt-trois chandails en moins de quinze minutes.

Avant notre départ pour le party, je descends voir ma grand-mère. À cause de mon cauchemar récurrent, je deviens paranoïaque. Chaque jour, je lui demande où elle ira et comment elle y ira, et je m'assure qu'elle est bien rentrée quand je reviens de l'école. Je suis devenue la mère de ma grand-mère, même si elle est toujours aussi maternelle avec moi. Elle salue Camille chaleureusement et nous offre de jouer une petite partie de cartes. Ça me brise tout le temps le cœur de lui dire non et de la laisser seule, comme ça, sans petit poulet à câliner. Quoique j'imagine très mal ma grand-mère appelant mon grand-père Petit Poulet en langage des signes. Mais j'imagine très bien que la vie, depuis qu'il est mort, s'avère d'un ennui… mortel.

Je l'embrasse longuement et lui promets de passer la voir demain. Elle nous regarde partir sans vraiment savoir où on va, sans sembler s'y intéresser non plus. Elle doit s'imaginer que nous allons à une danse dans une salle communautaire ou dans un gymnase comme dans son temps et qu'il n'y aura pas d'alcool ni de couples non mariés qui s'embrassent en public sans pudeur. J'aime bien la laisser à ses illusions. C'est de famille, le goût pour les illusions.

Malgré leur âge beaucoup moins avancé, mes parents se font une image de ma soirée qui n'est pas loin de celle de ma grand-mère. Ils croient sans doute tous les deux que mes amies et moi allons au cinéma et qu'ensuite nous dormons toutes chez l'une ou l'autre après nous être, bien sûr, fait des tresses en pyjama. J'exagère à peine. En fait, je joue la carte du mensonge éhonté depuis la fois où, après être revenue d'un party auquel, en passant, mes parents m'avaient autorisée à assister, j'ai subi un interrogatoire en règle. Lorsque j'ai avoué qu'il y avait de l'alcool à la soirée, mon père a eu l'air aussi décontenancé que si on lui avait annoncé qu'une invasion d'extraterrestres avait lieu dans son jardin. Alors vous imaginez ma réponse lorsqu'il m'a demandé si j'en avais bu. Je pense que c'est à ce moment que je me suis inscrite à l'équipe de génies en herbe, question de parfaire mon camouflage de petite fille sage. Jusqu'ici, ça fonctionne très bien. À moins que, justement, je ne me fasse des illusions ! Qu'importe, je me dis qu'un jour ils découvriront bien la vérité et, ce jour-là, je serai dans la merde, mais pour l'instant, c'est l'heure de la mission.

— ★ —

Camille et moi arrivons chez Jolianne un peu plus tard que nous l'avions prévu. Mon père nous a déposées au cinéma et, après lui avoir envoyé des becs soufflés comme quand j'avais six ans, j'ai entraîné Camille vers un raccourci. Il semblerait toutefois que c'était plutôt un détour et Camille boude en grimaçant de douleur. L'idée, aussi, d'avoir choisi des bottes à talons si hauts !

Chaque fois qu'il y a un party, c'est la même chose. Je suis super énervée d'y aller, mais, dès que j'arrive devant la porte, je ne suis plus sûre du tout de vouloir entrer. J'entends des rires et de la musique, et déjà la phobie de me ramasser toute seule dans un coin et de me sentir rejet m'assaille. Comme d'habitude, j'essaie de trouver une excuse pour ne pas entrer tout de suite. J'encourage Camille à vérifier si elle a des ampoules aux pieds, pendant que je jette des regards nerveux autour de moi. C'est toujours le seul moment où je regrette de ne pas fumer. Il me semble que c'est le moment que je choisirais pour en fumer une, afin de me donner une certaine contenance, une attitude relax, détachée, justement comme le fait la bande de fumeuses en ce moment. Je crois qu'elles passent plus de temps à l'extérieur qu'à l'intérieur à chaque party. Je leur fais un sourire forcé en ne m'étonnant même plus de trouver parmi elles Annabelle, qui m'ignore magnifiquement en tirant de longues bouffées de sa cigarette. Elle fume depuis environ deux jours et demi, mais c'est comme si elle l'avait toujours fait. Je serai toujours impressionnée et un peu jalouse de son talent d'imitatrice et de sa capacité d'adaptation.

Bon. Il faut y aller. Camille prend une grande respiration, pose sur moi un regard lourd d'espoirs et pousse la porte avec une nonchalance spectaculaire. Elle aussi est en train de développer des talents de comédienne inavoués. On dirait que tout le monde joue une pièce de théâtre et que personne n'a pensé à m'envoyer le texte avant la première représentation; ça aussi, c'est un de mes cauchemars récurrents.

Pendant que Camille se bat avec ses bottes, j'effectue un scan rapide.

Devant moi : un frigo devant lequel s'entassent une dizaine de boutonneux de Saint-Augustin, dont la préoccupation principale, ce soir, sera de déterminer lequel d'entre eux a la plus grande tolérance à l'alcool. Déjà, l'un d'eux gît par terre, mou comme de la guenille, prenant la forme du coin de mur sur lequel il s'est effondré. J'ai le temps de détourner mon regard avant de l'entendre vomir bruyamment.

— Ouache, man ! T'as avalé des hot-dogs tout ronds ? s'exclame joyeusement un de ses semblables.

— Hé, les gars, venez voir ça ! Kevin a mangé un... deux... trois... quatre... cinq hot-dogs sans les croquer !

Rires débiles.

Dans le vestibule : une Jolianne aussi accueillante que magnifique nous souhaitant la bienvenue. Je ne sais pas comment elle fait pour être une hôtesse aussi parfaite à quinze ans. Elle ne boit presque pas, enfin, juste assez pour avoir ce petit pétillant dans l'œil qui fait craquer tous les gars. Mais ceux qui la connaissent savent très bien qu'elle n'est pas libre. Elle sort avec un musicien qui termine son cégep cette année. La plupart des filles qui n'aiment pas particulièrement Jolianne fréquentent ses partys dans l'espoir qu'elle invite un jour tous les beaux amis de son chum, ce qu'elle est déterminée à ne pas faire par pur esprit de contradiction. Je l'adore, cette fille. Lorsqu'elle entend le fameux Kevin rendre son souper, elle laisse à peine filer un soupir exaspéré. Elle nous quitte en conservant son sourire et revient trois secondes plus tard avec un seau rempli d'eau savonneuse qu'elle dépose, toujours souriante, à côté de la horde de Saint-Augustiniens qui peinent à empêcher leur mâchoire de tomber. Ils s'empressent tous de nettoyer le dégât de Kevin.

Dans un recoin du salon : les abonnés au sport-études, filles comme garçons. J'aiguise mon regard de lynx en faisant semblant de participer au dégoût général suscité par Kevin. C'est le repaire des Girafes et de leurs alter ego masculins, les Panthères. Il y a Géraldine… Aussitôt, mon imagination bat la campagne. « — Alors on accueille notre premier transsexuel de la journée, Géraldine, anciennement Gérard. Vous savez que vous auriez pu choisir n'importe quel nom féminin, Géraldine ? — Oui, mais je voulais rester le plus près possible de Gérard. »

Il y a aussi Jade, Alexane et une fille du collège Saint-Martin, l'école de filles rivale de Sainte-Marguerite, entassées sur un petit fauteuil en cuir. Elles tendent toutes la main vers le plus beau gars de Saint-Augustin – ce sont les Girafes qui le disent, pas moi –, visiblement le chum de cette fille. C'est que ça ne boit pas n'importe quoi, un plus beau gars de l'école. Je ne m'y connais pas du tout là-dedans, mais, à voir la forme et l'étiquette de la bouteille qu'il tend à ses admiratrices, on comprend tout de suite qu'elle vaut nettement plus cher que la bouteille de vodka bon marché que Kevin a bue en quarante secondes. Quarante secondes? Où est l'ambulance?

Pas de traces de Florence. Dommage! Elle doit être à la maison, en train de manger bien et de dormir tôt en vue du camp de demain.

Dans le corridor: plusieurs de mes camarades de classe. Je suis tout de suite rassurée. Ce sera dans le corridor que je passerai la plus grande partie de la soirée, comme d'habitude. Adossées au mur de préfini, mes copines et moi regarderons passer tous ceux qui se dirigent vers les toilettes et vers les chambres. Nous aurons des bribes de conversations avec tout le monde et personne à la fois, nous passerons toute la soirée pliées en deux à nous inventer des histoires et à partir des rumeurs. Ce type de soirée peut vous paraître peu reluisant, mais moi, c'est ce que je préfère. Le corridor est le lieu privilégié si on veut avoir l'impression, et je dis bien l'impression, d'être au centre de l'action. Il permet d'avoir une bonne vision de la cuisine, de la chambre aux morts où on transporte Kevin, alors qu'il n'est que neuf heures douze, de la chambre aux amoureux dont la porte est déjà fermée sur un mystère et de l'escalier qui va vers l'étage du haut où personne n'a techniquement le droit d'aller, sauf Jolianne.

Il n'y a que le salon qui n'est pas visuellement accessible d'ici ; c'est pourquoi nous allons chacune notre tour y faire un petit stage pour en rapporter le plus d'informations possible.

Je m'apprête à aller rejoindre mes amies en entraînant Camille avec moi quand je suis bousculée par quelqu'un qui vient d'entrer. Je me retourne, agacée, et, vous l'aurez deviné, à la vue de Jessifée, j'ai le réflexe de prendre mes jambes à mon cou. Mais je me rappelle ma mission. De toute façon, il faut se lever de bonne heure pour réussir à échapper à cette... je ne sais trop comment qualifier cette vision d'horreur qui vient de remplir la carte de crédit de son papa chez la coiffeuse. Jessifée me dirait probablement qu'il s'agit d'une styliste, mais je doute qu'il soit légal de donner un tel nom à une personne dont le travail consiste à massacrer tout ce qu'elle touche.

— Aaah, enfin ! Cendre ! Je te cherchais partout. Je voulais te présenter mon chum. Jason, viens ici !

Jessifée et son haleine de petit cigare à la vanille s'adresse à un singe au crâne rasé qui semble s'être bien intégré à la bande de Kevin, laquelle est sur le point de perdre un deuxième joueur. Il se retourne et lance un regard exaspéré à Jessifée, qui le presse de venir la rejoindre d'un geste du bras totalement exagéré.

— Kesstuveux ? baragouine-t-il.

— Envouèye, Jason, viens icitte ! Je veux te présenter quelqu'un !

Le Jason me détaille des pieds à la tête, s'attarde sur mon absence de poitrine, esquisse un sourire et retourne à sa bande d'arriérés. Nerveuse, Jessifée joue dans la moufette morte qui lui tient lieu de coiffure.

— Excuse-le, hein, il vient de se faire de nouveaux amis, là. J'existe plus.

Elle fait semblant de ravaler une larme. Je donne un coup de coude à Camille pour qu'elle trouve quelque chose à dire. Moi, j'ai déjà donné.

— Capote pas, Jess, qu'elle lui lance maladroitement, les gars sont tous pareils.

Jess ?

— Qu'est-ce que tu connais aux gars, toi ?

Et vlan ! Le tact légendaire de Jessifée. Camille ouvre la bouche, hésitante. Elle n'est pas du genre à répliquer à une telle insulte, car la vérité lui fait trop mal. Je vois dans ses yeux en un éclair toutes les fois où elle a envié Florence ou n'importe quelle fille qui annonçait avec enthousiasme qu'elle avait un nouveau chum. J'ai envie d'arracher un à un les cheveux noirs et blond platine de ladite Jess. Ça commence très mal.

Je m'apprête à dire du grand n'importe quoi comme moi seule sais le faire afin d'améliorer la situation, ou bien de l'empirer, comme c'est souvent le cas, quand j'aperçois au loin mon sauveur. Victor est là, au milieu du salon, à observer Camille avec un air niaiseux. Finalement, il n'est même pas si beau que ça. Mais ce n'est pas l'opinion de Camée, qui vient tout juste de remarquer sa présence et qui lui renvoie le même air béat. Je les laisse à leur béatitude, non sans un petit pincement au cœur. Je retourne dans la fosse aux lions. Tant qu'à y être, je vais me débarrasser tout de suite du point trois de ma mission ; ce sera fait.

Je m'approche de Jason en exagérant mon détachement. Je me sens tellement ridicule ! Un peu plus et je mets des lunettes en plastique auxquelles sont attachés un gros nez et une moustache. Jessifée semble hésiter entre la fierté et l'inquiétude. Ce qui est certain, c'est qu'elle est nerveuse. Ça confirme peut-être mes soupçons. Je cherche quelque chose à dire pour engager la conversation, mais ce sera difficile, puisque mon suspect semble tout à fait absorbé par un jeu débile qui consiste à chanter une chanson en touchant des parties de son corps avant d'engloutir le plus rapidement possible un mélange d'alcool dont la seule vue me lève le cœur. Je ravale une gorgée sure, comme dirait mon père, et je me plante devant le garçon, sous le regard toujours plus inquiet de Jessifée.

— Comme ça, tu as vingt-deux ans ?

Il me fait un grand sourire, dévoilant une palette absente. Quelque chose me dit que, contrairement à mon frère, il ne l'a pas perdue dans un laboratoire de chimie. Il me met vraiment mal à l'aise. J'essaie très fort de me rappeler pourquoi je me suis attribué cette mission bidon, mais il est trop tard. Il me regarde avec un air sous-entendu qui me donne la même nausée que le contenu de son verre.

— Quoi, ça t'intéresse, les gars plus vieux ?

— Euh… peut-être, oui, dis-je en désespoir de cause.

Et c'est là que ça me frappe. D'un seul coup.

Paf! J'en perds presque une palette. Depuis le début, je joue à l'enquêtrice et je m'amuse beaucoup sans vouloir me l'avouer. Je cherche un recruteur, un suspect. Je ne réalise que maintenant, au moment même où Jason touche mon bras, que mon cerveau n'a jamais osé terminer l'équation. S'il y a recrutement, il y a forcément un but. Je ne suis pas à la poursuite d'un recruteur qui offre des poitrines plantureuses en échange de rien du tout. L'idée d'un homme d'une quarantaine d'années mal rasé, avec une haleine puant l'alcool, me léchant le lobe d'oreille m'effleure l'esprit, menaçant du même coup de faire remonter mes petites patates rissolées. Je perds la belle attitude que je m'étais construite pour ma mission. Ce mot ne veut plus rien dire, tout à coup. Ou plutôt, il fait référence aux jeux des deux gamines que nous étions, Florence et moi, quand nous imitions nos personnages de films préférés. C'est ça. Je suis en train de jouer. Depuis le début, je joue, alors que Jessifée est peut-être en train de... je ne suis même pas capable de prononcer ces mots intérieurement.

Je suis pathétique d'égoïsme. J'aurais dû, dès le début, en parler à Jean-Maurice et laisser les vrais professionnels faire leur travail. Le truc, c'est que, quand je pense à Jean-Maurice, je le vois toujours tel que je l'ai entrevu hier, c'est-à-dire avec un masque d'argile verte appliqué par ma mère; ce n'est pas l'image typique du professionnel. Puisque j'ai engagé la conversation, autant tirer profit de ce primate, qui me dit sur le ton de la confidence:

— Je connais plein de gars qui seraient inté-
ressés à rencontrer de belles petites poulettes de
seize ans. Mais je sais pas si t'es leur genre. Faudrait peut-être que tu suives les conseils de Jess.

Il louche sur nos poitrines en rigolant comme
un orang-outang. Ça a l'air vraiment très drôle.
Jessifée cherche quelque chose d'intelligent…
euh, enfin, elle cherche quelque chose à dire.

— Voyons, Jason, arrête ça ! Qu'est-ce que je
t'ai dit avant de venir ici ?

— Toi, veux-tu que je te répète ce que je t'ai dit
avant de venir ici ? Veux-tu que je le dise à ta petite
amie, ce qu'on s'est dit avant de venir ici ?

— Non.

Elle a l'air d'une petite fille qui se fait gronder.
Je n'aime vraiment pas ça. Je cherche quelque
chose d'intelligent… euh, quelque chose à dire :

— Comme ça, c'est le grand amour ?

Eh merde ! J'ai l'air de ma mère quand elle me
demande si j'ai rencontré de beaux petits gars.
Jason repart de son rire néandertalien et attrape
brutalement Jessifée par la taille. Il la caresse sans
aucune douceur :

— Ah oui, le grand amour, hein, beubé ?

Je note mentalement «beubé» sur ma liste
de petits mots d'amour à ne jamais utiliser pour
désigner mon futur chum. Je le mets en troisième
position, juste en dessous de «chouchou» et de
«petit poulet».

Les caresses de Jason se font plus pressantes.
Jessifée semble mal à l'aise. Une de ses mains
s'approche dangereusement d'un de ses gros
seins. Jessifée lui décoche automatiquement une

baffe. Je suis surprise. J'aurais pensé qu'elle serait du genre à être fière de se faire tripoter en public. J'ai de ces préjugés, parfois ! Jason ne semble même pas s'en formaliser. Avec cette sorte de gorille, j'aurais plutôt eu peur qu'il la frappe en retour. Merci mon Dieu, il réagit en continuant à rire.

— Ben voyons, beubé ! T'aimes pas ça ?

Jessifée ne sait plus où se mettre. Elle se fraie brusquement un chemin jusqu'au frigo et y prend une bière, qu'elle boit presque en une seule gorgée sous les regards ébahis des amis de Kevin, dont les yeux passent de sa bouteille à sa poitrine avec une admiration sans borne. J'ai besoin de changer d'air. Je reviendrai plus tard à ma maudite mission.

En quelques enjambées, je suis dans le corridor, où je suis accueillie par des éclats de voix joyeux. Je me sens déjà mieux. De loin, je regarde Jessifée qui engueule son chum, ou enfin son… je n'ose même pas trouver un mot pour dire ça. J'essaie de comprendre les bribes de conversations qui fusent autour de moi, mais toutes les filles parlent en même temps. Il est question d'un beau gars, d'une fille dont on est visiblement jalouse, d'un couple qui s'est défait, puis d'un autre qui s'est fait, puis peut-être d'un qui s'est refait, et ainsi de suite. La routine, quoi !

— Il me semblait qu'ils étaient plus ensemble ?

— Ouin, mais il paraît qu'ils ont repris.

— Ah oui ? Ça fait chier, ça !

— Vous pensez que Jolianne a invité son chum et ses amis ?

— Vous avez vu dans le salon ?

— Oui ! J'ai vu ! J'en reviens pas !

— Il me semblait qu'il avait une blonde, lui.

— Ben, on dirait pas.

— Cout'donc, est-ce qu'on va pouvoir aller aux toilettes, un jour ?

— En tout cas, moi, j'en connais un qui sera pas content que ses petites Girafes fassent le party avant un camp de sélection.

Tiens. On dirait que ça, ça m'intéresse. Surtout que ça vient d'Éliane, une amie très proche d'Alexane. Je me lance :

— Vous trouvez pas ça louche, vous autres, toutes les absences de la semaine des Girafes ?

— C'est à cause de Gargamel, je pense, me répond-elle, comme si c'était une grosse confidence.

— Alexane t'en a pas parlé ?

— Non. Elle est muette. Elle me parle presque plus. Elle me parle tellement plus qu'elle m'avait même pas dit qu'elle avait laissé son chum. J'ai eu l'air d'une vraie épaisse, tantôt, devant lui !

Bon. Alors, ça confirme mes soupçons basés sur la lettre que j'ai subtilisée. Il y a réellement un mouvement généralisé chez les Girafes. Le mot d'ordre ? Au signal, on ne parle plus à nos meilleures amies et on quitte notre chum.

— Moi non plus, Florence me parle plus.

Je voudrais continuer, mais j'ai les larmes aux yeux. Et je ne sais plus trop s'il y a véritablement quelque chose à dire.

— Ce serait peut-être le temps que tu lui parles, là !

— C'est un peu délicat et, comme tu l'as dit toi-même, on dirait que les Girafes gardent secret tout ce qui se passe dans l'équipe et…

— Non! Je veux dire, là, tout de suite, maintenant. Y a une file qui s'accumule à la toilette.

Je dois faire un air idiot digne de moi-même, parce que toutes les filles recommencent à parler en même temps.

— Tu le savais pas? C'est Florence et Tristan qui sont enfermés dans les toilettes depuis vingt minutes, renchérit Éliane.

— Sont revenus ensemble! ajoute une autre.

— Ils ont jamais été séparés! avance une autre.

— Moi, je suis sûre qu'ils sont en train de se réconcilier pis qu'ils vont sortir sur un petit nuage. C'est pas juste!

— Il est tellement beau, Tristan!

Et c'est reparti. Alors, c'est d'eux qu'on parle depuis tout à l'heure. Alors, Flore est ici. Avec Tristan. Je suis soufflée. Mais que veulent-elles que je fasse? Je ne vais tout de même pas aller cogner à la porte en criant à Florence d'arrêter de faire des cochonneries et de sortir tout de suite! De toute façon, je les connais, ils ne sont sûrement pas en train de s'embrasser dans la douche, mais plutôt d'avoir une longue conversation sur l'emploi du temps de Florence.

Quelqu'un transperce presque mon mollet de son talon aiguille. Sans s'excuser, bien sûr. C'est Jessifée – qui d'autre pourrait-ce être? – en furie qui s'enfuit, Jason sur les talons. Elle envisage pendant un instant de se cacher dans la chambre aux morts, mais se ravise tout de suite en y percevant l'odeur nauséabonde de Kevin qui s'en dégage. Jason y jette un coup d'œil par-dessus son épaule et repart de son rire que je ne suis déjà plus capable d'entendre. En manque d'options, Jessifée frappe violemment à la porte des toilettes, ignorant la file qui devient de plus en plus longue.

— Oublie ça, dit Éliane sans bouger de sa place par terre à côté de moi, Florence et Tristan sont là depuis, genre, une demi-heure.

Jessifée prend une grande respiration et frappe à plusieurs reprises contre la porte en criant de toutes ses forces :

— Arrêtez de faire vos cochonneries pis sortez de là tout de suite, mes maudits porcs ! Y a du monde qui veulent pisser, icitte !

Je doute que ce soit vraiment ce qu'elle veut faire, mais décide de ne pas répliquer, vu son état d'hystérie avancé. Aucune réponse de la part des tourtereaux. Jessifée s'impatiente devant la porte et continue de frapper. Elle nous regarde toutes comme si nous étions les dernières des épaisses.

— Pis vous autres, vous faites rien ? C'est pas ben ben… démo… co… crassique, ça.

Son regard se pose sur moi, pas plus doux.

— Pis toi, t'as pas eu le goût de me le dire tantôt, que Camille avait un chum, au lieu de me laisser avoir l'air vache ?

J'ignorais totalement que Jessifée avait la capacité de se rendre compte des moments où elle a l'air vache. Camée ? Un chum ? Je suis ici depuis combien de temps ? Je regarde ma montre : neuf heures vingt-neuf. Il y a de ces partys où tout va si vite !

Jessifée regarde furtivement si Jolianne est dans les parages et tire sur la manche du blouson de Jason pour l'emmener dans les escaliers. Hum ! Lorsque Jolianne fera sa tournée de l'étage du haut, j'en connais deux qui vont se faire jeter hors du party sans tambour ni trompette. C'est la seule règle chez Jolianne. Jusqu'ici, tous semblent la respecter sans trop de problèmes. Enfin, presque tous.

Alors que je m'apprête à me lever pour me rendre au salon, Flore et Tristan sortent de la salle de bain. Mes fesses retombent automatiquement sur le tapis. Le silence se fait autour d'eux, mais le couple princier fait comme si nous n'existions pas. Tristan, l'air morose, soutient Florence, qui a peine à se tenir debout. Elle semble complètement saoule. Je n'en crois pas mes yeux. Ce doit être un clone d'elle, ce n'est pas possible. Ses parents ? Le camp de sélection ? Ça ne ressemble pas à elle du tout, ça. Mon cerveau fonctionne à toute allure pour trouver ce que je dois faire dans un moment comme celui-ci. Tout ce qu'il trouve, c'est que je pourrais profiter de l'état de Florence pour lui tirer enfin les vers du nez. Je suis une horrible meilleure amie. Mais je suis trop curieuse de savoir ce qui a poussé Flore à s'autoriser à perdre la carte ainsi.

Je fais une deuxième tentative pour me relever, mais je suis bousculée par une paire de très grands pieds. Je lève les yeux pendant de longues secondes pour me rendre jusqu'à la tête qu'il y a au faîte de l'hémisphère opposé aux pieds. C'est Victor. Derrière lui, Camille qu'il tient par la main. Celle-ci prononce en silence à mon intention :

— J'en reviens pas.

Et elle disparaît dans la chambre aux amoureux, dont la porte s'est ouverte après la crise de Jessifée.

Ça y est. Je me sens toute seule. Vraiment toute seule. J'ai envie d'aller jouer aux cartes avec mamie. Dommage qu'elle soit couchée à cette heure-là !

Récapitulons. Camille est dans une pièce fermée en train de vivre sa lune de miel avec le même-pas-beau-Victor, Jessifée est en haut en train de faire tourner la sienne au vinaigre, Florence est retournée parmi ses semblables pour cuver son vin et je ne sais pas où est Annabelle. Bravo pour la mission, Cendrine !

11

DU POUDING ET DU VOMI

Je boude au salon depuis plusieurs minutes. En m'y rendant, j'ai risqué un œil dégoûté vers le groupe qui n'avait pas quitté le devant du frigo et qui gueulait joyeusement des «et glou et glou et glou!» pendant qu'un de ses éléments préparait son coma éthylique. En y regardant de plus près, je me suis rendu compte qu'il ne s'agissait pas d'un des leurs, mais plutôt de l'une des nôtres. Annabelle! Mais qu'est-ce qui se passe ce soir? Annabelle ne boit jamais. C'est l'infirmière en chef de nos soirées. En une seule semaine, Florence et Annabelle sont devenues deux étrangères pour moi. Enfin, Annabelle a toujours été une étrangère de temps à autre, mais, dernièrement, elle s'est transformée. D'abord le iPhone, puis la cigarette et le maquillage, et maintenant, ça. Je ne l'ai jamais vue tenter d'attirer les regards masculins sur elle avant ce soir. Je devais me tromper sur son orientation.

Tant qu'à broyer du noir, aussi bien le faire en buvant. Je sors une petite bouteille de cidre de mon sac. Je déteste la bière. Camille aussi. C'est pour cette raison que son père, qui est beaucoup moins sévère que le mien, nous a acheté quelques petites bouteilles de cidre, pour notre soi-disant souper de filles. Ça ne titre que cinq pour cent d'alcool. C'est inoffensif par rapport à ce que tous les autres autour de moi sont en train d'ingurgiter.

Assise sur le tapis nauséabond du salon, j'ai une vue imprenable sur le repaire des Girafes. Je n'ai pas abandonné ma mission! Florence est affalée sur Alexane, qui la repousse en riant. Elle me semble plus en forme que tout à l'heure, à sa sortie de la salle de bain. D'ailleurs, je ne vois pas Tristan. Il doit avoir quitté le party, accablé par sa peine d'amour. Flore semble raconter une histoire très drôle, mais pas très cohérente. Les filles la poussent gentiment, peut-être pour la convaincre d'arrêter de dire des âneries, je ne sais pas, je n'entends rien d'ici.

Je suis assise juste à côté du haut-parleur; il crache une musique que je ne connais pas, mais qui fait le bonheur des nombreuses personnes entassées sur les fauteuils et par terre. Ma décision est prise. Je vais terminer cette bouteille de cidre et, ensuite, j'irai comme si de rien n'était m'incruster dans le groupe des Girafes pour prendre Florence à part quand l'occasion se présentera.

J'en suis à faire une liste mentale des phrases pas trop idiotes avec lesquelles je pourrais les aborder quand j'entends un poids lourd qui s'effondre à l'étage. Ou plutôt je le perçois; c'est que je possède moi aussi les dons de perception de ma grand-mère. Jessifée! Mon rythme cardiaque s'accélère. Je suis immédiatement prise d'une affection sans borne pour elle. J'ai peur. Sans réfléchir, je me précipite dans le corridor et je gravis les marches quatre à quatre. Je me fais tout de même discrète, au cas où j'aurais à aller chercher du renfort. Je ne voudrais pas mettre de l'huile sur le feu. On ne sait jamais, avec ce genre de… avec ce Jason.

Au haut de l'escalier, je me cache derrière le divan luxueux des parents de Jolianne. J'entends clairement Jessifée et Jason qui s'engueulent, mais je n'entends rien qui suppose une violence quelconque.

— Jason, je t'avais dit de pas te saouler pis de pas me faire honte!

Rire débile du macaque.

— Relève-toi, là! Envouèye! Tu te lèves, tu appelles un taxi pis tu sacres ton camp d'ici. Si Jolianne nous pogne ici, elle va être en maudit!

— 'Tu folle? Je vas prendre mon char.

— Tu prendras pas ton char çartain! De toute façon, faudrait que t'essaies de trouver tes clés, avant.

— C'est pas trop dur, ça!

— Jason! Qu'est-ce que tu fais? Sont pas là, tes clés! Arrête! Arrête, gros cave! Lâche ça tout de suite!

— Voyons, Jess, dis-moi avec quoi tu les as bourrés.

— Lâche ça, gros épais, lâche ça, tu vas m'en arracher un !

— Hein ! C'est comme mou. Qu'est-ce que t'as mis là-dedans ? De la poudigne au chocolat ?

Rire débile du gorille en rut.

— Jason Marquis, là, ça va faire ! Lâche-moi les boules, t'es en train de pogner les vraies en dessous, là ! Avoir su que t'allais juste empirer les affaires, je t'aurais pas demandé de faire semblant que t'es mon chum !

Je suis absolument abasourdie. Jason Marquis. Marquis comme dans Jessifée Marquis ? Ce gars-là, c'est son frère ? Non. Jessifée est enfant unique, ça, tout le monde le sait. Ce doit être son cousin. Tu parles ! Et puis, des seins bourrés avec du pouding au chocolat ? Bourrés comme dans j'ai bourré ma brassière avec des paires de bas pour jouer à la madame quand j'avais huit ans ? Maintenant que j'y pense, c'est tout à fait logique. Jessifée a un besoin maladif d'attention, mais probablement pas les moyens de s'offrir une chirurgie plastique. Je suis soulagée, tout de même. Mais je ne savais pas qu'elle était capable d'aller jusque-là. Bof ! Entre faire semblant d'avoir de faux seins pour attirer l'attention ou se faire vomir pour devenir transparente, je ne sais pas ce qui est le pire.

Maintenant, je fais quoi ? J'hésite à me montrer. Jessifée pleure bruyamment ses larmes de crocodile, pendant que son cousin essaie de la consoler en lui disant des mots doux comme :

— T'as couru après, grosse niaiseuse !

Ou bien:

— C'était une idée de cave.

Je me décide à aller les rejoindre au moment où on entend une voiture entrer dans la cour dans un bruit de moteur effroyable.

— 'Garde ça, Jess! C'est un maudit beau char! Une Mustang!

Jessifée ignore l'intervention de Jason. Elle me voit arriver près d'elle et tourne dramatiquement la tête vers la fenêtre afin de cacher ses fausses larmes.

— Hé! c'est le beau Patrice Barré, ça! qu'elle laisse filer à travers un reniflement sonore.

Je me précipite à la fenêtre. En effet, Patrice est sorti de son maudit beau char et marche droit vers la maison, l'air mauvais. Il s'immobilise devant la porte de devant, hésite et décide d'opter pour la porte du sous-sol, d'où s'échappe une musique entraînante. Il est nettement moins beau quand il a ce regard, le même regard que j'ai aperçu lorsque Marianne a fait une gaffe au match d'hier. Mais qu'est-ce qu'il fait ici? Il vient chercher sa blonde? Il vient chercher… Florence? C'est impossible. Une telle union, si elle existe, doit nécessairement être cachée, sinon je n'ose même pas imaginer comment la direction de l'école et les parents de Flore réagiraient. Je descends les marches à toute vitesse pour aller alerter mon amie d'antan, Jessifée sur les talons, bien sûr, Jessifée qui a déjà oublié Jason, oublié qu'un de ses seins au chocolat sort presque de son chandail. Elle veut probablement aller tenter sa chance avec le beau Patrice.

Quand j'arrive en bas, il est trop tard. Patrice a ouvert la porte violemment et scrute le sous-sol de son regard dur, non sans faire une mine dégoûtée devant la troupe de Kevin, dont il ne reste plus beaucoup de membres vivants. Avant que j'arrive à me frayer un chemin jusqu'au recoin où les Girafes continuent de boire l'alcool de luxe du père du plus beau gars de Saint-Augustin, Patrice les a aperçues. Je vois changer immédiatement le visage d'Alexane, de Jade, de Florence et de Géraldine. « — Gaétan, il est où, Gérald? — Gérald? Il dîne. — Gérald dîne! Géraldine. Hé, c'est un beau nom ça, Gaétan. Tu le mettras sur la liste des noms pour la petite. »

Elles ont toutes l'air de petites filles de quatre ans qui viennent d'être surprises par leur mère en train de se couper les cheveux avec des ciseaux à bout même pas arrondi. Patrice, quant à lui, a le regard d'un père qui vient d'apprendre que sa petite fille chérie n'est plus vierge. Il secoue la tête avec un mélange de déception et de dégoût. Sans prononcer un seul mot. Il pointe la porte d'un doigt autoritaire et les quatre filles se lèvent immédiatement, penaudes sous le regard ébahi de toutes les filles du party. Sans que personne dise ou fasse quoi que ce soit, elles sortent et montent dans la voiture de Patrice, qui redémarre dans le même boucan infernal. Fin du spectacle. Dans son empressement, Florence a oublié son sac. Je le récupère discrètement en espérant qu'elle reviendra le chercher avant que je parte d'ici.

Je me retourne vers mes camarades de corridor, qui partagent mon étonnement. Nous sommes bouche bée. Chacune de nous essaie d'élaborer une hypothèse logique. Je ne suis pas capable de prononcer un seul mot, ce n'est pas peu dire. C'est évidemment ce moment-là que choisit Camille pour sortir de la chambre aux amoureux, question d'être encore et toujours décalée par rapport aux événements. Devant ma mine étonnée, elle me rejoint en tenant toujours la main de Victor et me dit à l'oreille :

— Ben quoi ! Tu pensais toujours pas que j'allais jamais avoir de chum ?

— Viens ici, faut que je te parle !

Je l'entraîne vers un lieu plus discret. Camille laisse aller Victor, qui va s'asseoir avec Tristan dans le salon. Tristan ? Je n'avais pas remarqué qu'il était toujours là. Il est assis sur un fauteuil, figé, avec un air mi-traumatisé, mi-vainqueur. Il doit s'imaginer en train de téléphoner à M. Grandmaison pour lui annoncer que sa petite fille chérie n'est pas celle qu'il pensait.

— Inquiète-toi pas, Cendre, on s'est juste embrassés, se défend Camille.

— Je le sais. Je veux dire… c'est pas ça que je veux te dire ! Le chum de Jessifée, c'est son cousin, ses seins sont bourrés de pouding au chocolat, pis Patrice Barré vient juste de partir avec Florence, qui était complètement saoule !

— Cout'donc, je suis restée combien de temps dans cette chambre-là ? C'est vrai que l'amour, ça fait perdre le contact avec la réalité, rêvasse-t-elle.

— Ben, là, réagis !

— Florence est ici ?

— Non, je viens de te dire qu'elle est tout juste partie avec Patrice, qui avait l'air en beau maudit qu'elle ait bu.

— Florence boit, maintenant ?

— Ça a l'air, oui.

— Elle a pas un camp de sélection, genre demain matin ?

— Oui, c'est justement ça qui est bizarre.

— Depuis quand Patrice fait le taxi pour ses joueuses ?

— Je le sais pas, Camille ! C'est pour ça que j'ai cette face-là. Je capote ! Pas toi ?

— Moi, ce qui me fait capoter, c'est que Jessifée sorte avec son cousin. C'est dégueu.

— Mais non, justement, elle sort pas avec, elle l'a invité pour qu'il fasse semblant d'être son chum.

— Pourquoi ?

— Ben, pour nous montrer qu'elle est capable de sortir avec des gars plus vieux ! Quoi d'autre ?

— OK… C'est pas un recruteur de je sais pas trop quoi, donc ?

— Euh ! non, je pense pas.

— Pis elle s'est pas fait refaire les seins ?

— Non.

— Elle s'est pas mis du pouding au chocolat dans la brassière pour vrai ?

— Ben non ! Ben… je le sais pas, moi, ce qu'elle a utilisé, mais il paraît que c'était mou.

— Tu les as touchés !

— Aïe ! Non ! Quelle horreur ! C'est Jason qui a dit ça.

— C'est qui, Jason ?

— Son cousin. En tout cas, je pense que c'est son cousin. Ils ont le même nom de famille.

— Comment tu sais ça ?

— C'est pas important ! Qu'est-ce qu'on fait, pour Florence ?

— Qu'est-ce que tu veux qu'on fasse ?

— Je sais pas. Ça n'a pas d'allure ! Tristan pense qu'elle sort avec Patrice.

— Quoi ? Mais non, ça se peut pas !

— Pourquoi il serait venu la chercher, alors ?

— Ben, parce qu'il était fâché qu'elle suive pas sa discipline habituelle avant un match, non ?

— Ouin, peut-être. Mais il a pas le droit de débarquer dans un party d'élèves comme ça ! Et comment il a fait pour savoir qu'il y avait un party ici, hein ? Et pour connaître l'adresse ? Si la direction savait ça !

Quelqu'un me tape sur l'épaule.

— Quoi ? que je réponds, que je crie, plutôt, complètement hors de moi.

— Euh… Cendrine, c'est ça ?

Dès que je me retourne, mon cœur fait vingt-huit tours, descend dans mes pieds, monte dans ma tête et s'arrête dans mon visage, le laissant rouge tomate. C'est Édouard. Ma bouche cesse de produire de la salive et mon cerveau cesse de sécréter de l'intelligence. Qui c'est, Édouard, que vous vous demandez ? Édouard, c'est celui qui est responsable de ma renonciation à poursuivre avec l'équipe de génies en herbe. C'est celui que j'évite depuis que Florence a eu la bonne idée de lui envoyer un valentin en mon nom.

— Je pense, oui.

Ça commence mal.

— Tu es pas sûre que tu t'appelles Cendrine ?

— Non non, je veux dire oui, c'est que je suis plus sûre de rien, ce soir !

— Tu as trop bu ?

— Non, j'ai pas eu le temps !

— Tant mieux. Toi et ton amie, là, vous êtes pas des amies de la fille, là-bas, qui vomit sur le tapis ?

Je jette un coup d'œil vers la fille, là-bas. C'est Annabelle. Annabelle, que toutes ses nouvelles amies ont abandonnée, de peur d'abîmer leur manucure en tentant de la relever. Elles sont probablement dehors en train de griller leur vingt-deuxième cigarette. J'ai l'impression que, ce soir, ce sera moi qui jouerai à l'infirmière. Juste retour des choses. C'est Annabelle qui avait pris soin de moi, à l'Halloween, quand je vomissais mes vodka-jus-tropical-aux-probiotiques. J'entraîne Camille avec moi dans le corridor. Éliane et ses amies tentent de vérifier si la patiente est encore consciente.

— Annabelle, accroche-toi, là, on va aller aux toilettes ensemble.

— Zendrine, tulezais que ch't'aime, toi, me dit-elle en tentant de mettre une mèche de cheveux grumeleuse derrière son oreille.

— Oui oui, je le sais.

En fait, non, je ne le sais pas. Elle m'aime ? Elle m'aime d'amour ? Est-ce qu'elle vient de me faire une déclaration d'amour, là ? Si oui, je pourrai au moins dire que je peux cocher une de mes missions sur la feuille. De son côté, Camille, elle, peut toutes les cocher. Je tente de soulever Annabelle, qui a la consistance des seins de Jessifée.

— Viens avec moi et Camée, on va essayer de t'amener aux toilettes.

— Non! Jvallachnou!

— Quoi?

— Veux aller ch'nous, articule-t-elle difficilement.

— Ben, là, es-tu sûre que tu vas être correcte pour te rendre? Je pense pas, moi.

— Prends un tazzi avé moua.

— Un taxi? Euh… OK.

Je pourrais utiliser l'argent que mon père m'a donné pour aller au cinéma. Je crois que je vais revenir du même coup chez moi. J'en ai assez vu pour ce soir. Je regarde ma montre; il est dix heures vingt-deux. Je serai restée là à peine plus d'une heure. C'est ridicule.

Camille et moi portons littéralement Annabelle dans nos bras à l'extérieur. Elle ne parle plus. Elle semble même dormir. Camille s'apprête à appeler un taxi quand nous réalisons que nous n'avons aucune idée de l'endroit où Annabelle habite. Elle n'a jamais voulu inviter qui que ce soit chez elle. En fait, on la voit rarement à l'extérieur de l'école. Elle vient aux partys une fois de temps en temps, elle est même déjà venue chez moi à quelques reprises, mais elle repart toujours en autobus. Le problème, c'est que nous avons beau la questionner, elle ne répond plus. Elle semble totalement inconsciente. Plus de son, plus d'image!

— Peut-être que tu pourrais l'emmener dormir chez toi, avance Camille doucement.

— Es-tu malade? Mon père va capoter en la voyant. Je suis censée dormir chez toi, d'ailleurs, ce soir. On l'emmène chez vous?

— Ben, là! Mon père a beau être pas trop sévère, s'il la voit comme ça, lui aussi va capoter!

— On est pas pour la laisser ici! C'est Jolianne qui va capoter. Bon. Va en dedans faire une tournée et essaie de trouver quelqu'un qui sait où elle habite. Moi, je vais rester ici avec elle et je vais essayer de la réveiller pour le lui demander. OK?

Camille part en courant. Je m'assois par terre, dans le gazon humide, avec Annabelle couchée près de moi. Elle sent horriblement mauvais. Elle ronfle, maintenant. Je la secoue doucement, puis plus fermement, mais rien.

Pour éviter la nausée qui me menace, j'essaie de me concentrer sur autre chose. Je remarque tout d'abord que c'est la pleine lune. Ça explique peut-être les comportements excessifs de tout le monde, ce soir. C'est le printemps pour de bon. Ensuite, je perçois peu à peu les tonnes d'odeurs qui voyagent à travers la nuit. Je suis toujours étonnée de constater à quel point les odeurs sont le meilleur moteur de la mémoire. Pas celles des sucs gastriques d'Annabelle, bien sûr, juste celles de la terre qui se réveille et des feuilles qui poussent dans les arbres, c'est suffisant pour ramener dans ma tête des centaines de flashs en même temps. Je ressens dans mon ventre l'espèce d'excitation qui dort tout l'hiver et qui se réveille chaque printemps lorsque la fin de l'année scolaire approche. C'est comme si je l'oubliais chaque année.

Le truc, c'est que cette excitation vient aussi avec une sorte d'angoisse. L'angoisse de passer une partie de l'été seule, parce que Florence est inscrite dans un camp de je ne sais quoi destiné à la faire performer encore plus et que Camille est quelque part en voyage avec son père, vers plusieurs destinations dont elle ne se rappellera même plus les noms en revenant. Et Annabelle? Eh bien, Annabelle retourne toujours tout l'été là où les filles mystérieuses vont lorsqu'elles ne sont plus sous nos yeux. Je me console en me disant que je suis peut-être sur le point de faire la lumière sur cette partie de sa vie.

Après plusieurs longues minutes, Camille revient, Victor et Édouard sur les talons. Je sens mes joues s'empourprer à nouveau. Heureusement que l'obscurité de la nuit me cache un peu!

— J'ai trouvé quelqu'un qui sait où elle habite!

— Victor?

— Non, moi, répond Édouard.

— Tu savais même pas son nom, tantôt, dis-je, super agressive.

— Je sais peut-être pas son nom, mais je sais où elle attend l'autobus le matin, répond-il sur un ton aussi agressif que le mien. C'est l'arrêt juste après le mien.

J'ai envie de me creuser une tombe, là, tout de suite, dans l'aménagement paysager des parents de Jolianne. Je ne sais pas ce que j'ai, dès qu'un garçon m'intéresse, il faut absolument que je devienne désagréable avec lui. Florence dit que ça s'appelle de l'autosabotage. Je m'arrange inconsciemment pour que mes histoires d'amour échouent d'avance, de peur d'être blessée ou humiliée.

— Mais, dis-je plus doucement, tu connais pas son adresse exacte !

— Non, mais je sais de quel immeuble elle sort, le matin, parce qu'elle arrive toujours à la dernière minute en courant. Tu dois connaître son nom de famille ! On aura juste à regarder les noms sur les boîtes aux lettres.

On ? Édouard va venir avec nous ? Des plans pour que je me creuse une tombe dans le taxi, entre les deux banquettes !

— Oh ! je suis pas certaine qu'on puisse être quatre dans le taxi, surtout avec Annabelle qui est pas capable de rester assise, que je donne comme excuse.

Camille se tortille, mal à l'aise. Je devine déjà ce qu'elle va m'annoncer.

— Ben… moi, Cendrine, si ça te dérange pas, je vais rester encore un peu ici ; le père de Victor va venir me reconduire chez moi. Il vient le chercher à minuit.

Je fais semblant de ne pas être terrorisée à l'idée d'être seule dans un taxi avec Édouard.

— Ben non, pas de problème. Profitez-en, les amoureux !

Merde ! Encore la voix de ma mère qui sort de ma bouche ! Heureusement que le taxi arrive à ce moment-là pour faire diversion et que tout le monde met la main à la pâte – c'est le cas de le dire – pour y faire entrer Annabelle, sous les protestations du chauffeur, qui a peur qu'elle salisse son beau char neuf.

En moins de deux, je me retrouve assise sur la banquette arrière, aux côtés d'Édouard sur qui les jambes d'Annabelle sont posées, pendant que je lui soutiens la tête. Résigné, le chauffeur nous demande l'adresse de destination.

— Sur la rue Massé.

Je sursaute.

— Sur la rue Massé ?

— Tu connais ça ?

Si je connais ça ? Mon père habitait là quand il était petit. C'était le quartier ouvrier. Le plus pauvre de la ville. Aujourd'hui, c'est encore plus pauvre qu'avant. Il y a de gros HLM sales entassés les uns sur les autres. Maintenant, la population y est partagée, selon mon père, entre des gens sur l'aide sociale, des étudiants du cégep qui font juste fumer du pot, des immigrants qui ne parlent pas notre langue, des drogués et des alcooliques. C'est effectivement le quartier le plus violent de la ville et celui où il y a la plus grande concentration de problèmes de consommation et de santé mentale. La plus grande fierté de mon père, c'est d'en être sorti. La plus grande peur de ma mère, c'est de me voir le fréquenter.

— Euh… juste de réputation.

Édouard semble vouloir ajouter quelque chose, mais il se ravise. Il sait très bien que son quartier a une très mauvaise réputation. J'aurais dû dire autre chose, dire que ma famille vient de là. Ça m'aurait peut-être rendue plus sympathique à ses yeux. Il doit croire que je suis une petite fille de riches comme tellement de filles de mon école. J'ouvre la bouche pour tenter de me reprendre, mais comme je sais que c'est dans ce genre de situation que je peux débiter les pires conneries, j'ai la sagesse de la fermer.

— Tu allais me demander comment je fais pour aller à Saint-Augustin?

C'est vrai, ça. Comment ses parents font-ils pour lui payer ça? Les miens y arrivent à peine.

— …

— J'ai eu une bourse. Y a des bourses pour les enfants doués de mères monoparentales et dépressives, tu sais.

— Ah. Je savais pas. Peut-être qu'Annabelle aussi.

— Peut-être. Je la connais pas. C'est pas ton amie?

— Ben oui, mais elle parle jamais d'elle.

Je comprends soudain que les lunchs d'Annabelle ne reflètent pas son désir de maigrir, mais plutôt sa pauvreté. Je comprends pourquoi elle n'a jamais voulu parler d'elle, ni nous inviter chez elle. Je comprends comment elle doit se sentir à côté de filles comme Jolianne, dont les pires problèmes se résument à marchander avec ses parents la date de la prochaine fois où ils lui laisseront le sous-sol pour un party. Je comprends même presque l'espèce de rage sourde qui la pousse à se venger sur l'une de nous une petite fois de temps en temps. Mais je ne comprends pas le iPhone. Ou bien… peut-être que je le comprends. Peut-être que j'ai passé trop de temps à soupçonner Jessifée! J'ai le cœur qui bat de plus en plus fort. Et ce n'est pas seulement parce que je suis dans un lieu clos avec Édouard. Jean-Maurice. Il faut que je parle à Jean-Maurice.

12

★ —♥— ★ —♥— ★

DES COUPS DE POING
ET DES PIZZAS

★ —♥— ★ —♥— ★

SAMEDI MATIN 10 MAI

Quand je me réveille ce matin d'un sommeil sans rêves, je me dis que, ça y est, j'ai perdu mes superpouvoirs ! C'est la catastrophe !

Tant pis, je me précipite d'abord chez mamie afin d'honorer ma promesse. Évidemment, elle m'attend avec du pain doré et des beignes, qu'elle roule dans la mélasse avant de les tremper dans son thé. Je suis un peu absente pendant qu'elle me raconte qu'elle aimerait qu'on aille se promener au soleil, toutes les deux. C'est que je repense à la fin de ma soirée d'hier.

Quand Édouard et moi nous sommes arrêtés devant chez Annabelle, nous avons demandé au chauffeur de nous attendre le temps que nous remplissions notre mission. J'étais super énervée à l'idée de voir le nom de famille d'Annabelle sous l'une des sonnettes de l'immeuble. On aurait dit que je n'y croyais pas encore. À en juger par sa tenue vestimentaire coûteuse, il me semblait tout à fait impossible qu'elle puisse habiter dans l'une de ces cages à poules. Au moment où Édouard a bougé les pieds de notre belle mais nauséabonde endormie, elle s'est réveillée et assise carrée dans le taxi. Elle nous a regardés sans nous voir, s'est tournée vers la vitre, a probablement aperçu son domicile, a ouvert la portière et s'est mise à marcher comme une automate vers chez elle, sans se retourner ni, évidemment, payer le chauffeur. Nous nous sommes regardés, Édouard et moi, bouche bée.

Là, j'étais bel et bien seule avec lui dans un lieu clos. En fait, pas vraiment, et le chauffeur s'est fait un plaisir de nous rappeler sa présence en nous demandant notre prochaine destination. Édouard a proposé de descendre tout de suite pour s'assurer qu'Annabelle ne tombe pas dans le coma sur le stationnement lugubre de son HLM. J'ai tenté de repérer une affiche Parents-secours ; c'était plus fort que moi. Il m'a demandé timidement si je voulais lui tenir compagnie, mais je l'ai coupé avec une explication du genre :

— Il est tard, ma grand-mère a fait des beignes et, de toute façon, je dois parler au poulet de ma mère.

Il m'a regardée comme si j'étais atteinte d'une maladie grave. Je l'ai presque poussé hors du taxi en refusant son aide monétaire, ce qui, de toute évidence, était une mauvaise idée, puisque j'ai dû entrer chez moi pour aller fouiller dans mon petit cochon, qui est en fait un phoque, pour arriver à régler le chauffeur, visiblement découragé par la clientèle adolescente. À l'expression qu'Édouard avait lorsque je l'ai abandonné comme un chien au coin de la rue, j'ai conclu que c'était la dernière fois qu'il m'adressait la parole.

Ma grand-mère en est à énumérer les boutiques de tissus et de laine dans lesquelles elle voudrait s'arrêter pendant notre marche printanière. Elle va probablement me confectionner deux ou trois trucs que je ferai semblant d'aimer et que je ne porterai que quand je la verrai. Ça devient de plus en plus difficile, considérant que j'habite au-dessus de chez elle. Je lui souris tendrement en joignant mes doigts à la hauteur de mon nombril, puis en les pointant vers moi pour signifier :

— *Je m'excuse.*

Je lui dis que je reviendrai plus tard dans la journée, quand j'aurai terminé mes devoirs. Et quels devoirs ! Je dois absolument parler à Jean-Maurice.

Ma mère et Jean-Maurice sont à table, un sourire dont je ne veux pas connaître l'origine flottant sur leur visage. Ils sont beaucoup trop de bonne humeur pour moi. Cependant, dès que Petit Poulet m'aperçoit, il affecte un air sérieux. Ça y est. Il va jouer au père et s'assurer que je n'ai pas mis les pieds au centre-ville, ou me faire un sermon sur le condom. Je m'assois l'air de rien et me sers parmi leurs croissants. Mais je n'ai pas vraiment faim, après ce que mamie m'a fait ingurgiter.

— Alors, c'était bon, ton film ? me demande-t-il avec un air suspicieux aussi subtil que celui d'une Jessifée en manque d'attention.

— Ouin, pas pire.

— C'était quoi, le titre ?

Merde ! Habituellement, je m'arrange pour connaître le titre du film que je vais supposément voir et je demande à quelqu'un de m'en faire un résumé, mais là, avec le party et la mission, j'ai totalement oublié.

— Euh… c'était un film d'horreur, là, je me souviens plus trop du titre.

Ma mère regarde Jean-Maurice avec tendresse, flattée qu'il prenne son rôle beau-paternel au sérieux. Pour ma part, je vois que le doute augmente dans le regard de son génial enquêteur. Il a pris son air de Sherlock Holmes acheté au Dollarama. Il n'est aucunement question que je me fasse démasquer par un petit poulet. Désolée, maman, mais je n'ai qu'une seule idée pour détourner l'attention.

— Je suis allée au cinéma avec mon amie qui habite sur la rue Massé.

Bingo. Ma mère change immédiatement d'air, ce qui veut dire que son chum mettra tout en œuvre pour qu'elle retrouve son sourire.

— Je savais pas que tu avais une amie qui habite sur cette rue-là ! s'exclame-t-elle de son ton le plus inquiet.

— Moi non plus.

— Elle va pas à ton école certain, cette fille-là !

C'est qui, elle ? Tu le sais, Cendrine, qu'il faut pas se mettre amie avec n'importe qui. Ce monde-là, on le sait pas ce qu'ils sont capables de faire !

Ça y est. Elle repart avec son paquet de préjugés et tente de me faire peur, de me mettre en garde. Elle est presque émouvante, dans son grand numéro.

— Calme-toi, maman ! Oui, elle va à mon école, cette fille-là !

— Veux-tu ben m'expliquer comment ses parents font pour lui payer ça, hein ?

— Tu sauras qu'il y a des bourses pour les enfants doués quand les parents sont pas capables de payer l'école privée.

— Ah oui ?

Je vois passer dans son regard les milliers de dollars qu'elle et mon père auraient pu économiser en m'inscrivant à cette bourse. En même temps, il leur aurait d'abord fallu admettre qu'ils vivent au-dessus de leurs moyens.

Jean-Maurice n'a pas dit un mot depuis que j'ai prononcé le nom de la rue fatidique. Il a l'air inquiet pour vrai.

— En même temps, je trouve ça bizarre, parce que mon amie vient juste d'avoir un iPhone. J'imagine que les bourses pour les familles défavorisées sont pas censées servir à payer des iPhone, dis-je innocemment.

Touché. Petit Poulet se met à se ronger les ongles, non sans recevoir une petite tape de ma mère sur la main. Je crois que j'ai mis le doigt sur le bobo – et pas sur les bobos autour de ses ongles ravagés. Il se lève d'un bond en renversant presque sa chaise, sous le regard étonné de ma mère.

— Je vais faire la vaisselle, mon amour! Cendrine, j'aimerais ça que tu m'aides à faire la vaisselle, pour une fois.

Je comprends le message et ne rechigne même pas à le suivre. Ma mère a retrouvé son sourire admiratif. Elle pousse un long soupir de satisfaction. Si l'homme qu'elle a choisi arrive à me faire faire la vaisselle, c'est que ce doit être le bon.

Dans la cuisine, Jean-Maurice ne se donne même pas la peine de prendre un torchon pour faire semblant de faire la vaisselle. Il me prend par les épaules et me regarde droit dans les yeux. Je crois que c'est la première fois qu'il me touche, mais ça ne me manquait pas.

— Là, Cendrine, je veux pas inquiéter ta mère, mais je pense que j'aurais une couple de questions à te poser sur ton amie.

— OK, réponds-je avec enthousiasme.

— C'est pas le temps de faire ça maintenant, mais quand ta mère va faire les aines de Mme Sanschagrin, ce midi, tu viendras me rejoindre dans le salon. OK?

— OK, boss!

— C'est pas drôle, ce qu'il se passe, Cendrine. J'espère que t'es assez grande pour comprendre ça.

Je sais que ce n'est pas drôle. Je ne sais juste pas comment agir. J'essaie, je l'avoue, de prendre ça à la légère pour chasser les images désagréables qui peuplent mon imagination depuis ma prise de conscience d'hier. Aussi vrai qu'au départ je souhaitais secrètement être la grande vedette de cette histoire, j'espère maintenant de tout cœur que Jean-Maurice me dira que ce n'est pas aussi épouvantable que je ne me le figure.

Il est dix heures quarante-cinq. Même si ce n'est pas encore l'heure autorisée, je ne peux m'empêcher d'appeler tout de suite Camille. Je la réveillerai probablement, mais je m'en fous. Je veux savoir ! Chaque lendemain de party, à onze heures, Camille et moi faisons un débriefing de la soirée. À ma grande surprise, elle répond après deux sonneries et elle n'a même pas sa voix de Gollum.

— Cout'donc, on dirait que t'es réveillée depuis deux heures !

— Ben oui, Victor m'a appelée vers neuf heures.

— Issh ! tu devais être en beau maudit !

— Pourquoi ?

— Ben, de te faire réveiller à cette heure-là ! Moi, ça fait longtemps que je sais que, de toute façon, on peut rien tirer de toi si on appelle trop de…

— Tu serais fâchée, toi, de te faire réveiller un samedi matin par Édouard, qui te dirait qu'il t'appelle pour être bien certain qu'il a pas rêvé ce qui s'est passé entre vous la veille ?

Elle marque un point. Un maudit gros point. Un poing sur la gueule, même. Je suis maintenant la seule de mes amies à n'avoir jamais vraiment eu de chum. C'est déplorable, dérisoire, décourageant.

Elle me raconte alors comment tout s'est passé si vite, comment elle n'arrive toujours pas à y croire, comment Victor est bien fin, bien beau, bien tendre et tralala. Elle m'abreuve de détails croustillants que j'ai demandés, mais que, finalement, je me passerais bien d'entendre. C'est que je peux être si masochiste, parfois !

Quand je raccroche, il est presque midi. Je me rends tout de suite au salon, prête à me faire interroger par Jean-Maurice. Je m'imagine dans une salle d'interrogatoire avec des miroirs à travers lesquels les accusés ne peuvent pas voir. Quand j'arrive dans le salon, mon beau-père est en train de ranger son cellulaire. Il me regarde gravement. Une boule dans mon estomac se forme. J'espère qu'il n'est rien arrivé à Annabelle.

— Bon, euh, Cendrine, qu'il dit nerveusement, on va changer nos plans, OK ? Tu vas venir avec moi chez les Grandmaison.

— Chez les Grandmaison ? C'est quoi, le rapport avec mon amie ?

— Y en a pas. Je viens d'avoir un téléphone d'un enquêteur du poste. Ben, ton amie Florence a disparu.

— Ben non ! Elle est à son camp de sélection de volleyball !

— Justement, elle y est pas.

— Elle est où ?

— C'est ça que j'essaie de t'expliquer, me dit-il lentement comme si j'étais attardée, on ne sait pas où elle est. C'est pour ça qu'un policier nous attend chez Armand et Johanne. J'en sais pas plus.

J'ai beau comprendre chacun des mots séparément, je ne comprends pas à quoi les mots « Florence a disparu » réfèrent dans la réalité.

Avant de suivre mon beau-père, l'estomac dans les talons, je pense à courir jusque dans ma chambre pour rapporter son sac à Florence.

— Vous avez trouvé ça où ?

C'est la première question que l'enquêteur Chamberland me pose. Je suis assise à la table des Grandmaison avec lui, Jean-Maurice et les parents de Florence. Armand s'est construit une belle contenance pour l'occasion. Il joue au pilier, celui sur qui sa femme, si fragile en ce moment, peut s'appuyer. Il a de l'espoir dans le regard, de l'espoir mêlé de déception, comme s'il blâmait Florence d'avance pour sa disparition. Johanne, elle, semble carrément dépassée par les événements. Elle a le regard flou, affolé. Je devine qu'elle se demande pourquoi, après tant d'efforts et d'amour, elle mérite ce triste sort. Elle secoue la tête de temps à autre comme pour tenter d'éloigner la pensée du pire qui revient sans cesse.

Le pire, pour moi en ce moment, après ma peur démesurée de ne plus jamais revoir ma meilleure amie, c'est de devoir expliquer devant ses parents où j'ai trouvé son sac. En fixant un point sur la table, je dis qu'elle l'a oublié chez Jolianne.

— T'étais pas au cinéma, toi, hier ? rétorque Jean-Maurice.

— Non, j'étais chez Jolianne Lessard.

J'ai une longue hésitation avant d'ajouter :

— Dans un party.

Je crois qu'il est inutile, vu les circonstances, d'inventer une histoire comme je le fais toujours, comme Florence le fait souvent. De toute façon, mon cerveau est vide. Vide comme la chambre de Florence. Johanne et Armand poussent un petit cri de déception à l'unisson.

— Dans un party ? reprend, imperturbable, l'enquêteur Chamberland.

Je crois que j'en aurai long à raconter.

— Est-ce que ton amie Camille était également à ce party ? ajoute-t-il.

— Oui.

— Et Tristan Bellavance ?

— Aussi.

— Bon, on va attendre que mademoiselle Camille arrive et vous raconterez ensemble ce que vous savez. Quant à monsieur Tristan, eh bien ! un de mes collègues essaie toujours de le joindre. Lui et sa famille semblent hors de la ville. De toute façon, à deux, vous réussirez sûrement à nous fournir un indice qui nous aidera à retrouver Florence et ses sept collègues.

— Hein ?

Jean-Maurice et moi nous sommes exclamés d'une seule voix. Il décoche un regard lourd de reproches à son collègue. Petit Poulet n'apprécie pas de ne pas être mis au courant des détails d'une enquête, même si ce n'est pas la sienne et qu'il est en congé.

— En effet, explique l'enquêteur en levant le sourcil gauche, le minibus qui transportait les huit filles admises au camp de sélection régional de volleyball à Montréal est parti de l'école secondaire Sainte-Marguerite à six heures quinze ce matin. À onze heures douze, les parents de Karine Chartier, voyant qu'elle ne répondait pas à son téléphone, ont décidé d'appeler à l'École secondaire de la Cité, où se tient le camp de sélection, afin de lui faire un message important. C'est là qu'ils ont su que, le matin même, à dix heures vingt-six, une jeune demoiselle a placé un appel aux organisateurs dudit camp de sélection afin d'annuler la participation des huit joueuses. Depuis le signalement de leur disparition, toutes les joueuses possédant un téléphone cellulaire ont fait l'objet de vaines tentatives d'appels répétés. Nous sommes donc sans nouvelles d'elles et des deux adultes responsables qui les accompagnent, messieurs Patrice Barré et Jean-François Gabanel, depuis ce matin, six heures quinze.

Il semble réciter son texte par cœur. Le mien, de cœur, fait plusieurs bonds dans ma poitrine. Je suis soulagée à l'idée que Florence n'est pas seule. Huit filles ne peuvent pas avoir été kidnappées, violées et battues toutes en même temps, non ? En plus, elles sont avec deux adultes. Mais c'est peut-être justement ça, le problème. Je n'arrive pas à voir Patrice et Gargamel comme deux adultes responsables. Je repense à la conversation que j'ai surprise dans le corridor, puis au regard fou de Patrice au match de jeudi et au party d'hier.

Mais non. J'ai trop d'imagination. Un accident. C'est ça. Il faut que ce soit un accident. Un petit accident pas mortel du tout.

— Ils ont peut-être eu un accident? que j'avance sans conviction.

— C'était évidemment notre première hypothèse. Mais on ne rapporte aucun accident impliquant un minibus dans la région depuis ce matin. Les hôpitaux infirment également l'hypothèse de l'accident. Et il ne faut pas oublier que quelqu'un a annulé la participation des joueuses au camp de sélection.

À ces mots, Camille et son père font leur entrée. La belle amoureuse semble encore plus perdue que d'habitude. J'avoue que, il y a quelques minutes, la conversation que nous avions était nettement plus gaie. On la met au courant, on répète les faits, on s'assoit, silence. L'inspecteur Chamberland reprend:

— Donc, vous étiez toutes les deux à un party chez Jolianne Lessard hier soir?

Camille essaie de lire dans mes yeux l'histoire inventée qu'il faut leur servir. Elle comprend très vite qu'il n'y a pas d'histoire à raconter, seulement la vérité. Je raconte alors, toujours en fixant mon point imaginaire sur la table, l'heure que j'ai passée au party. Cependant, j'évite de parler des concours de calage de la bande à Kevin et des seins de Jessifée, mais je ne mens pas sur l'état de Florence, dû à la bouteille d'alcool du plus beau gars de Saint-Augustin, que je décris en détail. Pas le garçon, la bouteille.

— Un Bowmore quinze ans, marmonne M. Grandmaison, complètement abasourdi par ma révélation, mais qui en sait vachement plus long que mon père au sujet du scotch.

Mais il n'a pas fini d'être surpris, Armand! J'hésite à poursuivre. Je n'ai pas du tout envie d'être responsable de la crise de cœur qu'il fera quand je révélerai les soupçons de Tristan concernant Florence et Patrice. Je me sens déjà assez coupable comme ça. Mais je sais que je n'ai pas le choix, que la sécurité de mes compagnes de classe ne se négocie pas. J'explique comment Patrice Barré s'est présenté au party, comment les filles l'ont suivi docilement, comment et pourquoi Tristan a réagi. L'inspecteur semble trouver ce que je dis très pertinent. Il ne cesse de prendre des notes, hochant la tête avec intérêt, m'arrêtant pour que je répète quelques détails. Il est évident qu'il voit là la première piste à suivre. Moi, je m'entends parler de loin, comme si ce n'était pas moi qui racontais tout ça. J'aurais dû en parler avant, ça me saute au visage quand je vois l'état de Johanne se dégrader au rythme de mes phrases. Mais parler de quoi, exactement? Et à qui, au juste? À ma mère? À Jean-Maurice? À mamie? À Gargamel, tant qu'à y être?

Les Grandmaison sont complètement dévastés. On leur annoncerait que leur fille se prostitue pour se payer de la drogue qu'ils réagiraient de la même façon. À voir à quel point ils connaissent mal leur fille, on comprend pourquoi l'inspecteur les laisse un peu de côté, concentrant ses efforts sur Camille et sur moi. Ils n'avaient même pas remarqué que la relation de leur fille avec Tristan n'allait pas bien. C'est tout dire!

— Et vous, Camille, corroborez-vous tous les faits rapportés par mademoiselle Cendrine?

— Oui, en fait, c'est que, euh… je n'ai rien vu de tout ça, mais… Cendrine m'en a parlé.

— Vous étiez pourtant bien au même party, non ? s'interpose Jean-Maurice, qui se prend un regard de travers de son collègue.

— Oui, mais c'est que…

Elle tourne un œil de côté vers son père, qui attend impatiemment qu'elle finisse sa phrase.

— C'est que j'étais très absorbée par une… conversation avec… un garçon, dans une… dans un coin du salon.

— Ah ! Je vois.

L'inspecteur se penche sans broncher sur ses notes, pendant que le père de Camille, à ma grande surprise, ne semble pas ébranlé outre mesure. En fait, il est plutôt heureux pour sa fille, et c'est tant mieux.

— Bon. Il est évident qu'il faudra concentrer nos recherches sur ce Patrice Barré. Nous contacterons l'école à ce sujet. En attendant, vous êtes probablement en mesure de nous en raconter beaucoup sur lui.

— Et sur Gargamel… euh… sur M. Gabanel, me reprends-je. Je pense que c'est un ami de longue date de Patrice.

Sourcil et crayon levés de Chamberland. Je me lance à nouveau. Je raconte les événements des dernières semaines, la chasse à l'anorexie, la folie au sein des Girafes, leurs absences répétées, je torture et retorture sans cesse le cœur de mère de Johanne, qui en est à sangloter en silence.

— Donc, si je comprends bien, monsieur

et madame Grandmaison, vous n'étiez pas au courant de ces absences?

Regards vides et bouches muettes.

— Florence avait-elle, elle aussi, des troubles alimentaires? Allait-elle voir le spécialiste, ce M. Gabanel?

L'utilisation de l'imparfait nous fait tous sursauter. Johanne émet quelques sons de petit chien blessé.

— Non! s'exclament en chœur Johanne et Armand, avant de baisser les bras et de se tourner vers moi, profondément honteux d'en être arrivés à s'en remettre à moi quand il s'agit d'un sujet aussi important.

— Mais non, dis-je avec un sourire encourageant. Florence n'a pas de problèmes alimentaires. C'est même elle qui surveille les autres, qui essaie de les aider, qui leur concocte de petites collations pour leur donner de l'énergie avant les matchs. Elle est tellement... disciplinée!

Mes paroles font leur effet. Les Grandmaison sont un tout petit peu soulagés que leur éducation ne soit pas intégralement à la poubelle.

— Bon, écoutez. Je crois que ce sera tout pour tout de suite. Nous aurons probablement, grâce à l'école et aux autres parents et amis, plusieurs détails sur les disparues et sur les deux hommes dont il est question. C'est sans doute la piste que nous explorerons. Ne vous en faites pas, ils ne peuvent pas avoir enlevé huit adolescentes dans un minibus comme ça, sans aucun témoin, sans aucune trace. C'est impossible, croyez-moi, j'en ai vu assez dans ma vie pour vous assurer de cela.

Ça y est. Le mot est tombé : enlèvement. L'inspecteur Chamberland ne se rend pas compte qu'en tentant de nous réconforter il produit l'effet contraire. Même Jean-Maurice semble bouleversé.

— Avez-vous fouillé dans son sac ?

Camille prend tout le monde par surprise.

— Pas encore, répond le policier, comme si c'était une évidence. J'ai l'intention de l'amener au poste pour examiner son contenu. C'est une pièce à conviction, maintenant.

Il termine à peine sa phrase que la mère de Florence se jette sur le sac en pleurant et le vide frénétiquement de son contenu à la recherche de tous les morceaux de sa fille qu'elle ne soupçonnait même pas, de toutes les petites parcelles auxquelles elle n'a pas accès et qui font, à la fin, que celle qu'elle a mise au monde lui semble une étrangère. Elle a l'air complètement déconnectée. Elle étale le contenu du sac sur la table et tâte chaque objet sans vraiment le voir, comme si le contact avec chacun d'eux pouvait ramener sa fille. Pendant qu'elle poursuit son petit numéro, un objet, au centre de la table, attire l'attention de tous. Une petite boîte carrée bleue, celle que j'ai prise pour une boîte de Tampax quand j'ai vu Florence l'enfouir rapidement dans son sac. Sur l'emballage, on peut lire en lettrage blanc : *DULCOLAX*. Et en plus petit, en dessous : *Laxatifs*.

— ★ —

Après l'interrogatoire, j'ai insisté pour que Camille vienne chez moi, question de ne pas être seule à subir l'angoissante attente des nouvelles des policiers, mais aussi un peu pour reporter à plus tard l'engueulade à propos de mes mensonges du vendredi. Quand ma mère nous a vus entrer dans l'appartement, Jean-Maurice et moi, elle a d'abord fait un sourire tendre à la vue de ce qu'elle a pris pour un début de complicité entre beau-père et belle-fille. Mais quand elle a remarqué que Camille et moi avions pleuré et que Jean-Maurice avait revêtu son visage d'enquêteur, elle s'est mise à chercher son paquet de cigarettes. J'ai laissé son petit poulet préféré lui raconter les événements du midi et je suis allée m'enfermer avec Camille dans ma chambre. Nous y sommes depuis dix bonnes minutes et aucune de nous n'est capable d'énoncer quoi que ce soit. Je parle la première. Quand Florence n'est pas là, c'est à moi que revient ce privilège.

— J'aurais jamais pensé ça d'elle.

— Je sais. Moi non plus. Dans le fond, je suis sûre que ça se peut pas. Peut-être que c'est les laxatifs de quelqu'un d'autre, tente Camille. Peut-être qu'elle les a confisqués à une des Girafes avant le camp ! Peut-être que c'était la première fois qu'elle achetait ça, que c'était juste pour... être certaine de ne pas prendre de poids avant le camp de sélection ?

— Peut-être. J'espère. Mais je pense pas. J'ai trop l'impression que ça concorde avec tout le reste. Quand on y repense, Florence, elle ne mange presque pas. Ses portions sont ridicules, elle ne mange jamais de dessert, elle ne mange jamais de chips ou de pizza avec nous… C'est clair qu'elle doit se bourrer la face de temps à autre quand elle est seule, et que c'est pour ça, les laxatifs. Son père arrête pas de dire que ça se vide vite, un garde-manger, quand on a des ados dans la maison.

— Ouin ! Je le sais pas quoi penser.

— Ben, moi, je me sens comme… trahie. C'est ça. J'ai l'impression qu'elle nous a trahies, qu'elle m'a trahie.

— Pourquoi ?

— Crime, Camille, je la connais depuis la maternelle, Florence, et on s'est toujours tout dit ! Je peux pas croire qu'elle m'a caché ça ! Ça détruit ma vision d'elle de fond en comble. Florence, c'est la raisonnable, c'est la disciplinée, c'est la première de classe, c'est comme ma grande sœur ! C'est elle qui aide les autres quand ils vont mal. Si c'est elle qui a des problèmes, ben, je sais pas comment faire, je sais plus comment le monde fonctionne !

Ça y est. Je vais encore pleurer. De frustration. D'inquiétude. D'égoïsme. Mon petit cœur est brisé parce que ma meilleure amie ne me dit pas tout et que ma compréhension du monde reposait sur elle. Elle était comme… ma conscience. Si ma conscience fout le camp, eh bien, je ne me donne pas beaucoup de temps avant de n'avoir aucun autre choix que d'aller chez le psychologue.

Camille ne sait pas où se mettre. Elle se tait, ouvre la bouche, la referme, fronce les sourcils. Enfin, elle dit timidement :

— Moi aussi, je me sens trahie…

— Pourquoi ? que je demande, même si j'en ai une petite idée.

— Tu sais, Florence, c'est celle qui a tout. Elle est vraiment belle, vraiment pas grosse. Je trouve ça insultant qu'elle...

Elle ne sait plus trop comment finir sa phrase, mais elle ne semble plus avoir envie de préciser sa pensée. On reste ainsi quelques instants, en silence, à remuer des pensées sombres. Le téléphone qui sonne nous tire de notre hébétude. Jean-Maurice répond aussitôt. Je me précipite dans le salon pour entendre ce qu'il dit.

— Ah oui ?... Non ?... Pas vrai ?... En plus ?... Ah ben... veux-tu ben me dire quelle sorte d'école que c'est ça ?

Une ombre passe sur le visage de ma mère. Il ne parle sûrement pas de mon école...

— OK, OK !... Bon, ben, on continue d'attendre. Merci pour les nouvelles.

Il raccroche, découragé.

— Pis ?

— Imaginez-vous donc que... Pouliche d'amour, veux-tu ben me dire dans quelle sorte d'école t'envoies ta fille ?

— Dans la meilleure, imagine-toi donc ! Sais-tu combien ça nous coûte, l'envoyer là ?

Encore l'argent. Je pose un regard noir sur ma mère. Son visage se décompose. Elle sait très bien que ce n'est pas le moment.

— Comment ça, notre école a pas d'allure ? demande Camille timidement.

— Ben, imaginez-vous donc que mes collègues ont fait des recherches sur les deux profs à

245

qui la responsabilité des joueuses a été confiée, des recherches que l'école aurait dû faire avant de les engager, d'après moi, le gros bon sens pis la loi. Patrice Barré s'est déjà fait mettre dehors d'une école en Beauce parce qu'il sortait avec une de ses élèves !

Il est rouge de rage. Camille, ma mère et moi sommes bouche bée. Ainsi, les soupçons de Tristan se confirment.

— Pis c'est pas tout ! hurle-t-il. Le spécialiste, là, Gabou… Gabi… chose là…

— Gargamel, dis-je sérieusement.

— C'est ça, Gargamel ! Ben, imaginez-vous donc qu'il a déjà été suspendu à quelques reprises de l'Ordre des psychologues pour avoir tenu des propos abusifs. Hé, c'est de la belle job de recrutement de personnel, ça, madame, mesdemoiselles ! Si j'étais la directrice, je vérifierais tout de suite si le concierge a pas des antécédents de pédophilie !

— Pourquoi tu dis ça ? que je m'exclame. Est-ce que vous avez appris quelque chose à propos du concierge ?

— Pourquoi tu demandes ça, ma chouette ? J'espère qu'il t'a jamais fait de propositions ! J'espère qu'il t'a jamais demandé de le suivre dans…

— Ben… non, pas pantoute ! Je demandais ça comme ça !

— Pourquoi t'hésites ? Jean-Maurice, c'est moi qui ai mal vu ou Cendrine a hésité avant de répondre ?

— Lâchez-moi le concierge, vous deux, là ! C'était une blague.

— On rit pas avec la pédophilie, Petit Poulet! C'est une accusation très sérieuse et on sait jamais qui, autour de nous…

Avant que ma mère ne commence à se conter des peurs comme elle aime tant le faire, je l'interromps.

— Est-ce qu'on peut revenir à Gargamel? Ça veut dire quoi, ça, des propos abusifs?

— Je sais pas trop, mais ce psychologue-là sent pas bon du tout!

Je savais qu'il y avait un truc louche avec ce clown! Dire qu'on m'accuse d'avoir l'imagination trop fertile! J'essaie toutefois de placer le morceau de casse-tête du concierge qui veut que je fasse l'amour avec Gargamel. Y aurait-il un lien entre ces trois hommes? Je m'ouvre la trappe ou je la ferme? Je l'ai déjà trop fermée… mais, en même temps, je ne peux pas lancer des accusations de je ne sais même pas quoi basées sur ma piètre compréhension du LSQ.

Je n'ai pas le temps de prendre une décision que Jean-Maurice est relancé.

— Là, on craint le pire. Le signalement des deux bozos, du minibus pis des huit filles est envoyé partout.

Il fait une pause interminable, essayant de trouver le ton et l'expression appropriés pour nous annoncer:

— On n'exclut pas la thèse du réseau de trafic d'adolescentes.

J'ai envie de vomir. J'ai mal au ventre. J'ai mal aux oreilles. Camille s'assoit par terre, sonnée. Elle éclate en sanglots sonores. Je voudrais pleurer, mais mon visage est si crispé d'inquiétude qu'il est incapable de laisser aller une larme.

— La photo de Barré va être diffusée partout, mais comme on n'est pas capables de trouver une photo de Gargamel rapidement, on va faire faire un portrait-robot de lui. Ça va être un peu plus long, c'est tout.

— Comment ça, « on »? Tu travailles pas, à ce que je sache?

— Euh, ben, Pouliche, c'est que... j'ai demandé à ce qu'on me mette sur l'enquête. Tu sais, comme je connais bien Cendrine et qu'elle peut nous aider...

— Je peux même vous aider pour le portrait-robot! que je crie, dans un éclair de génie.

— Toi, ça? doute Jean-Maurice. Je veux pas être insultant, là, mais il me semble que ta mère m'a dit que t'étais pas ben ben bonne en dessin...

— Premièrement, merci maman. Deuxièmement, c'est vrai que je suis pourrie, mais pas Camée!

Camille lève les yeux vers moi et prend quelques secondes pour comprendre mes paroles et sécher ses larmes.

— C'est vrai ça, dit-elle en reniflant. J'ai fait un portrait super réaliste de lui, dernièrement.

— Pourquoi? demande Jean-Maurice, interloqué.

— Ben, je sais pas! C'était l'événement de l'heure, à l'école. Toutes les filles parlaient de lui. Ça m'a inspirée.

Jean-Maurice lève un sourcil incrédule au mot « inspirée », mais il ne fait ni une ni deux et rappelle l'inspecteur Chamberland. Après à peine une minute, il raccroche et nous regarde.

— Venez-vous-en, les filles, on s'en va chez toi, Camille. Tu vas nous donner ce portrait-là.

— Tu l'as pas donné à Florence ?

— T'as raison, répond Camille. Peut-être qu'on pourrait passer chez Florence !

Je frissonne à l'idée de revoir le regard vide et affolé de Johanne. Je ne sais pas dans quel état sont les parents en ce moment. Au fait, il doit y avoir, présentement, les parents de pas mal de filles qui leur ressemblent.

En entrant chez Florence, je pose tout de suite les yeux par terre, incapable d'affronter le regard de ses parents, comme si j'étais responsable de sa disparition. Depuis ce midi, ça tourne et retourne dans ma tête : est-ce que j'aurais pu faire quelque chose ? Est-ce que les éléments à propos desquels je me questionnais ont véritablement quelque chose à voir avec la disparition des filles, ou bien si Patrice et Gargamel ne sont que deux horribles créatures qui ont profité du fait que la direction d'une école leur donne la responsabilité de huit belles jeunes filles pour… Je n'ose même pas poursuivre ma réflexion. Mon cerveau n'est pas équipé pour imaginer le pire. Ses rouages résistent. Malgré moi, c'est l'image du gourou Moïse Thériault qui me vient en tête. Puis celle, épouvantable, de Florence qui se fait couper un bras dans mon cauchemar. Il faut que j'arrête de penser.

249

Mes pas me portent sans que je m'en rende compte dans la chambre de Florence. En entrant, je réalise qu'il y a trop longtemps que je n'ai pas passé de bons moments ici. La dernière fois, c'était mardi, quand elle m'a fermé au nez toutes les portes que je lui ouvrais.

Camille et moi fouillons parmi les papiers qui jonchent son bureau pour y retrouver le fameux dessin. Ce n'est pas très long. Il est glissé dans son cahier de math. Jean-Maurice s'en saisit tout de suite, satisfait. Il prend son cellulaire et téléphone à son collègue pour lui annoncer la bonne nouvelle. Pendant ce temps, je continue à regarder les autres dessins de Camille, ceux que j'observais pendant que Florence ramassait ses graines sur le comptoir, juste après qu'elle eut caché rapidement la boîte de laxatifs dans son sac. Je me souviens qu'elle avait enfoui le dessin d'elle et de Tristan sous son lit. Je pars à sa recherche, mais sans succès. Tout ce qu'il y a sous son lit, c'est une paire de bas sales et le dessin du chalet des Grandmaison, celui que Camille n'a pas très bien réussi.

— C'est pas ton meilleur, ça, Camée.

— Ben, là, voyons ! C'est pas moi qui ai fait ça !

— Non ?

— M'as-tu déjà vue faire des dessins de maison ? Je fais juste des portraits, moi.

— Ah !

Jean-Maurice raccroche, énervé au possible.

— J'ai une bonne et une mauvaise nouvelle.

Je ne sais pas s'il s'attend à ce qu'on choisisse laquelle on veut entendre en premier, mais

Camille et moi, tout ce que nous avons entendu, c'est « mauvaise nouvelle ».

— Le minibus a été repéré ce midi dans le stationnement d'une pizzéria sur le bord d'une route pas très, très loin de la ville. Les policiers ont interrogé les employés et ils ont été capables d'identifier Alexane et Alexandra. Elles ont commandé trois pizzas larges, deux pepperoni fromage, une végétarienne. Donc, on sait au moins qu'à midi les filles étaient en vie. À moins que ces deux filles-là mangent en mautadine !

— Ça me surprendrait, que je lâche sans aucune émotion.

— C'est quoi, la mauvaise nouvelle ? enchaîne Camille.

— C'est que, si le minibus s'en allait vraiment à Montréal, Patrice, qui conduisait, selon la direction de l'école, était dans le champ pas pour rire, puisque cette pizzéria-là est à l'embranchement de la route pour la Beauce.

La Beauce. Je n'y suis jamais allée, mais, soudain, ça me semble la région du diable.

On remonte dans la voiture, où Jean-Maurice s'empresse d'allumer son GPS. J'ai envie de faire une blague déplacée et de lui demander s'il est si bouleversé qu'il a besoin de son GPS pour rentrer à la maison, mais je dis simplement :

— Qu'est-ce que tu fais ?

— Je regarde le chemin pour me rendre en Beauce.

— Tu vas aller là-bas ?

— Oui. Y a des policiers qui m'attendent là-bas. Je vais aller interroger le directeur de l'ancienne école de Patrice et faire quelques recherches dans le secteur. On est à la chasse, là, Cendrine.

Il dit ça avec une excitation palpable dans la voix. Il me semble à des kilomètres de celui qui roucoule des « petite Pouliche d'amour » avec des concombres sur les yeux. J'ai presque envie de lui faire confiance, tant il a l'air professionnel.

Je regarde la carte s'afficher sur le petit écran. Monsieur GPS lui propose deux itinéraires. Juste avant que Jean-Maurice ne le ferme et ne se concentre sur la route, un nom de village attire mon attention. Un village à quelques kilomètres de l'embranchement de la route pour la Beauce : Saint-Émilien-de-la-Belle-Rivière, le village du chalet des Grandmaison. Mais quelle idiote je suis ! Je me rappelle que c'est précisément dans la pizzéria sur le bord de cette route qu'Armand nous emmenait quand nous étions petites, Florence et moi, avant d'arriver au chalet. C'était le rituel. Pour moi, l'arrivée au chalet a toujours eu l'odeur de la pizza pepperoni fromage. Jusqu'à ce que Florence commence à jouer au volley et qu'elle raye pour toujours ce poison-là de son alimentation.

J'hésite à lui faire part de mon intuition. J'ai l'impression d'aller trop loin, là. Mais, à ce jour, tout ce que je croyais être le fruit de trop d'heures à lire des romans policiers s'est révélé vrai, ou enfin pas loin de la vérité. J'ose.

— Êtes-vous certains que le minibus s'en allait en Beauce ?

— Bien sûr que non, mais c'est la seule piste sérieuse qu'on a pour l'instant et on va la suivre.

— Seriez-vous prêts à suivre d'autres pistes ? Même si elles ont l'air un peu, euh, sorties de nulle part ?

Jean-Maurice me gratifie d'un petit regard de côté, curieux.

— Comme quoi ? As-tu une suggestion ?

— Ben, je sais pas, mais le chalet des Grand-maison est sur la route pour la Beauce. La pizzéria où le bus a été vu est justement celle où les parents de Florence nous emmenaient, elle et moi, quand on était petites.

— Et ?

— Et, chez Florence, j'ai trouvé un dessin du chalet.

— Et ?

— Et c'est même pas Camille qui l'a fait.

— …

— Ben ça doit être Florence !

— OK. Ça prouve quoi, ça ?

— Ben, que les filles sont peut-être là ?

— Tu veux dire que les deux suspects auraient eu l'idée géniale de cacher les filles qu'ils ont kidnappées dans un lieu connu des parents d'une des victimes ? Voyons, ça fait pas de sens ! C'est beaucoup trop risqué.

— Ils les ont peut-être pas kidnappées. T'as dit que ce sont les deux Alex qui sont allées chercher la pizza. Tu laisserais deux otages aller commander de la pizza, toi ?

— Il s'agit pas d'otages, là, Cendrine, y a pas de rançon qui a été demandée. On n'est pas dans un film de Bruce Willis !

— De qui ?

— Laisse faire, t'es trop jeune. Pis c'est pas parce que Barré fait faire ses commissions par deux de ses joueuses qu'il les a pas emmenées, un peu plus tard, à… dans… euh…

— Emmenées où, hein? dis-je, la voix pleine de sanglots.

— Je sais pas, moi, mais en tout cas, ce qui est certain, c'est qu'il peut pas les avoir conduites au chalet des Grandmaison. Ça fait pas de sens. Ça fait pas de sens.

— Peut-être! Peut-être que c'est Florence qui les a emmenées là? Hein? Ça se pourrait, ça, non? Peut-être qu'ils ont décidé tous ensemble d'aller faire un genre de… de fin de semaine d'équipe au chalet? Un genre de ressourcement de groupe, là, pour parler d'anorexie pis… je le sais pas trop.

— Sans le dire aux parents de Florence, avec le minibus et le budget de l'école, à la place d'aller au camp de sélection pour lequel les filles s'entraînent toutes depuis des mois? En passant, il doit pas y avoir dix chambres, dans ce chalet-là, quand même!

— Je le sais pas, moi, pourquoi! Mais je te dis que j'ai un pressentiment, c'est tout!

J'ai crié la dernière phrase. Je sens que mon degré de sang-froid ne va pas aller en s'améliorant aujourd'hui. Lui recommence à me parler comme si j'avais quatre ans.

— Écoute, Cendrine. Je sais que tu veux aider. Je sais que t'as beaucoup, beaucoup envie de retrouver ton amie. Mais je peux pas mobiliser un policier à cause de tes pressentiments. Écoute, ma puce! Je vais demander à quelqu'un de téléphoner au chalet pour te rassurer. Ça fait ton affaire, ça?

La réponse est non. Non, je ne suis pas sa puce! Et, téléphoner au chalet, vraiment? Quelle intervention policière! «— Oui, allo? — Oui, êtes-vous bien le kidnappeur de huit jolies adolescentes? — Oui, c'est bien moi. — Ne bougez pas, on s'en vient vous passer les menottes!»

Je tente de maîtriser ma voix afin de ne pas m'emporter.

— Ils ont pas le téléphone, au chalet, que je laisse tomber comme un verdict de peine de mort.

— Ils ont pas le téléphone? À voir la grosseur de leur cabane, ils sont capables de se payer le téléphone certain!

— Le but de posséder un chalet, c'est d'avoir la paix!

J'ai encore crié. Je pense que je vais me taire, maintenant. Je sens que Jean-Maurice et Camille ne s'opposeront pas à cette décision. Je sens le malaise grandissant de la seconde, qui se tortille sur la banquette arrière. Elle a envie d'être ailleurs. De toute façon, son père la veut près d'elle le restant de la journée. Je le comprends. Ma mère aussi a fait promettre à Jean-Maurice de me ramener à la maison sans faute.

Je regarde Jean-Maurice quitter l'appartement en vitesse, peut-être pas tant pour aller mener à bien sa mission que pour échapper aux recommandations sans fin de ma mère. Moi, je suis prise ici avec elle. En fait, je suis prise ici avec elles. Ma mère et Nancy se font une joie de veiller sur moi pendant que Petit Poulet est à la chasse aux méchants et que mon père est en train de ne pas vendre d'assurances. Vous aurez deviné ce qu'elles me proposent. Mais comme elles savent que, pour les sourcils, c'est peine perdue, elles suggèrent de me changer les idées en me faisant une beauté en vue de l'été. Elles sont super excitées à l'idée de me faire un traitement des pieds et de me peindre les ongles d'orteils. J'accepte, mais à condition que le vernis soit noir, comme mes pensées. En fait, Nancy est super excitée, mais je vois bien que ma mère est déchirée entre l'envie de m'engueuler à propos de ma soirée de vendredi et celle de me prendre dans ses bras en pleurant. Au lieu de tout cela, elle me lime les ongles d'orteils. C'est génial.

Après cette torture, je prétexte une soudaine envie de dormir pour me réfugier dans ma chambre. J'ai besoin de réfléchir. Plus j'y pense, plus je me dis que je ne peux pas rester là à ne rien faire, alors que j'ai trouvé une piste, aussi farfelue soit-elle aux yeux de la police. Je réfléchis à un moyen de me rendre au chalet des Grandmaison. J'en suis à envisager d'y aller avec mon vélo – qui n'est plus rose – quand le téléphone sonne. Je me jette littéralement dessus dans l'espoir d'y entendre la voix de ma meilleure amie qui me donnerait en pleurant, comme dans les scénarios que je me construis depuis ce matin, une adresse où aller la chercher. Mais non. C'est Jessifée. Quelle chance !

— Salut. Euh, ça va ?

— Non.

— C'est à cause des filles qui ont disparu ?

— Non, c'est parce que ma mère vient de me mettre du vernis à ongles sur les orteils.

— Hein ?

— Laisse faire.

Elle hésite. On dirait qu'elle veut me demander quelque chose. J'ai une assez bonne idée de ce qu'elle veut, mais je préfère la laisser patiner. Ne penser qu'à elle dans une telle situation, c'est bien elle, ça.

— Euh, ben, je me demandais si, euh… je sais que c'est pas le temps pantoute de te demander ça. Je sais que la situation est grave et que tu dois avoir beaucoup de peine, mais…

Je regarde le téléphone avec incrédulité. Ce ne doit pas être la vraie Jessifée, c'est pas possible.

— Ben, reprend-elle, est-ce que je peux te demander de pas dire à personne ce que t'as vu et entendu vendredi soir ?

— Quoi ? Tu veux pas que le monde sache que tu mets du pouding au chocolat dans ta brassière ?

— Ben, là, franchement, c'est pas du pouding ! C'est des prothèses en gelée, comme celles qu'utilisent les femmes qui ont eu une mastectomie !

Je ne peux pas croire qu'un mot de plus de trois syllabes fasse partie du vocabulaire de Jessifée. Elle a dû s'exercer longtemps pour prononcer celui-là. J'envisage de raccrocher et de faire étoile soixante-neuf pour vérifier si la personne à qui je parle présentement me téléphone bien de la résidence des Marquis, quand je me souviens que le père de Jessifée est médecin. Ça explique à la fois le vocabulaire et les prothèses.

— Ah bon ! Et tu pensais continuer à mettre tes prothèses tous les jours jusqu'à la fin de ta vie ?

— J'avais pas vraiment pensé à ça, là !

Ah ! Là, je la reconnais !

— Pis ? demande-t-elle.

— Pis quoi ?

— Est-ce que tu vas le dire, ou non ?

— Camille le sait déjà, mais c'est tout. Inquiète-toi pas.

J'ai tout à coup une idée de génie.

— Inquiète-toi pas, j'en parlerai pas… à une condition.

— Ah, t'es fine ! C'est quoi la condition ? Je peux t'en avoir aussi, des prothèses, si tu veux. Tu serais vraiment plus belle avec des seins, je te jure. Je peux te donner ça demain si…

— J'en veux pas de tes seins, que je la coupe froidement. Est-ce que tu penses que ton cousin est libre, aujourd'hui ?

— Mon cousin ?

— Ben, Jason ?

— Ah ! c'est que… c'est pas mon cousin, c'est… mon frère.

— Ton frère ? Je pensais que t'étais enfant unique, toi ?

— Non, j'ai un frère ; un épais de frère, comme tu l'as vu.

— Est-ce que tu penses que ton frère pourrait me donner un lift, genre tout de suite ?

— Je peux lui demander, mais ça me surprendrait qu'il veuille.

— Ben arrange-toi pour qu'il veuille, parce que c'est ça, la condition. Je vous attends en avant de chez moi le plus tôt possible.

Je raccroche. Je n'ai jamais imposé de condition pour quoi que ce soit à qui que ce soit dans toute ma vie. Ça fait du bien. En fait, ça me redonne un peu espoir et confiance en moi. Pourvu que son frère ne conduise pas aussi mal qu'il se comporte !

13

UNE HÉROÏNE ET UN VÉLO ROSE

Je me tiens à la portière de la voiture de Jason. Évidemment, mon souhait ne s'est pas réalisé. Il roule à une vitesse inversement proportionnelle à celle de son cerveau. D'une certaine façon, ça m'arrange. Je suis impatiente de vérifier si mon intuition est bonne et de retrouver Flore saine et sauve, bien sûr.

J'ai un plan. Mon plan, en fait, mon semblant de plan, c'est simplement d'aller jeter un coup d'œil dans la cour du chalet des Grandmaison. Si j'y vois le minibus, c'est simple, je téléphone tout de suite à la police et j'attends sagement, à l'abri de tout danger, qu'un inspecteur déguisé en superhéros sauve mon amie des griffes du méchant entraîneur de volley. J'ai donc dû imposer une nouvelle condition à Jessifée. Elle m'a prêté son iPhone presque sans rechigner. C'est qu'elle a très peur que tout le monde sache qu'elle est prête à tout pour attirer l'attention, comme si tout le monde ne le savait pas déjà.

Pour m'absenter incognito, j'ai dû mentir à ma mère. Je sais, habituellement, mentir ne me pose aucun problème. Mais là, sachant que je cours peut-être un risque, j'éprouve un peu plus de scrupules. Mais je ne vais pas être partie très longtemps. Je sais, je sais. J'ai l'air de jouer encore. Mais là, je serai prudente. Dans la mesure du possible.

L'ennui, c'est que j'ai dû faire croire à ma mère que j'accompagnais mamie à sa boutique de tissus préférée. Pour rendre le tout plus crédible, je suis allée attendre Jessifée chez mamie. À elle aussi j'ai menti. Je lui ai expliqué brièvement le drame qui nous est tombé dessus, question de me faire consoler un peu, mais je lui ai dit qu'une amie venait me chercher pour qu'on aille ensemble au poste de police rejoindre Jean-Maurice. Elle a eu cet air inquiet qui fait se creuser ses millions de rides autour des yeux. Elle m'a ensuite fait un tendre sourire en frappant ses deux mains ensemble, dont les doigts formaient le chiffre deux. Le même signe que m'a fait le concierge. Je l'ai regardée avec une mine dégoûtée et hor- rifiée. Pour quelle raison tordue ma grand-mère pouvait-elle bien me parler de sexe, elle aussi ? Je n'y voyais qu'une seule réponse, que ma grand- mère a devinée sur-le-champ. J'ai confondu deux signes ! Elle a éclaté de rire et a prononcé avec son accent d'extraterrestre dû à sa surdité, en refaisant le même geste :

— Faire attention, pas faire l'amour !

Je me suis sentie incroyablement soulagée, mais ça n'a duré que quelques secondes. Pourquoi le concierge m'encourageait-il si vigoureusement à faire attention à Gargamel ? Quand je pense que Florence est prise quelque part avec lui et Patrice ! J'essaie de ne pas trop y penser.

Ce à quoi je dois réfléchir, et vite, c'est si je demande à Jessifée et à son frère de m'attendre avec la voiture. Je ne leur ai pas dit où j'allais et j'ai l'intention de leur demander de me laisser à l'entrée du long chemin de terre. Si jamais le minibus est là, ce seront les policiers qui me ramèneront chez moi. S'il n'y est pas, il n'est pas question que je marche jusqu'au village, qui est beaucoup trop loin. J'imagine que je n'aurai pas d'autre choix que de téléphoner à ma mère, qui me passera tout un savon. À bien y penser, je n'ai pas du tout envie d'avoir Jason dans les pattes.

Nous sommes tous silencieux. Jason ne semble pas très enthousiaste de rendre service à sa sœur qui, elle, contrairement à ses habitudes, se fait assez discrète. Sous ses lunettes fumées, je sais qu'elle n'est pas maquillée. Je crois même qu'elle n'a pas mis ses prothèses en gelée. C'est drôle, j'ai toujours vu Jessifée comme un personnage qui divertissait mon quotidien, un genre de clown qu'on ne trouve pas vraiment drôle mais dont on apprécie tout de même la présence, par habitude, je suppose. Aujourd'hui, pour la première fois de ma vie, je la vois telle qu'elle est, c'est-à-dire mal dans sa peau, triste, probablement ignorée par des parents absents et malmenée par un frère qui se croit le champion de la conduite automobile, et de la cruise, sans doute. Remis en perspective, les petits soins de Nancy et de ma mère me paraissent agréables.

Je dois descendre là. Je remercie chaleureusement Jason, qui ne m'adresse même pas un regard. Jessifée me dit gravement au revoir, comme si c'était la dernière fois qu'elle me voyait. Elle se tourne dramatiquement vers la vitre, à un cheveu de mettre un foulard autour de sa tête et de se plaindre avec un accent. Même démasquée, Jessifée a besoin de jouer la comédie. Elle est comme ça.

J'ai à peine claqué la portière que Jason redémarre en faisant crisser ses pneus dans un nuage de poussière. Dommage que tout ce qu'il y ait à impressionner dans le coin, ce soit un chien qui fait pipi et une carcasse de voiture dans le fossé.

Bon. Je dois marcher.

Je suis à cinq minutes d'atteindre la boîte aux lettres en forme de cabane à oiseaux du chalet. De là, j'avancerai lentement jusqu'au grand saule, derrière lequel je pourrai me cacher et apercevoir la cour. Mon cœur s'accélère pour atteindre un rythme inquiétant. J'ai presque envie de faire un accès de paranoïa et d'avoir peur de faire une crise cardiaque, mais je me rappelle que plusieurs filles sont en danger.

Je pense à Jessifée et à son grand numéro de diva déchue, à Annabelle, dont je n'ai pas encore réglé le sort, mais surtout à Florence, à Florence et à son paquet de laxatifs, à Alexane, Ariane, Marianne, Alexandra, Karine, Jade et Géraldine – «— Ah ben, Gérald! Ça fait longtemps que je t'ai pas vu! Qu'est-ce que tu fais de bon? — Je me suis ouvert un hôtel : ça s'appelle le Gérald Inn.» En fait, je pense à toutes les disparues. Je ne les ai jamais vraiment portées dans mon cœur, mais aujourd'hui je donnerais n'importe quoi pour apercevoir une paire de leurs longues jambes.

Je dois avouer que je n'ai jamais vraiment pris les Girafes anorexiques au sérieux. J'étais beaucoup trop occupée à me comparer à elles pour tenter de comprendre comment elles se sentaient. Je les ai toujours un peu détestées d'être aussi grandes, aussi minces, aussi belles, aussi populaires, aussi rarement célibataires. J'ai toujours considéré que leurs problèmes alimentaires n'étaient que des caprices de petites filles à papa pour attirer encore plus l'attention, mais je n'en suis plus si certaine.

Ça y est. J'y suis. Le sang bourdonne dans mes oreilles. J'aperçois le saule et… le minibus. Je dois mettre ma main sur ma poitrine pour empêcher mon cœur d'en sortir. Je dois m'asseoir. Tout de suite! Mes jambes menacent de m'abandonner. Je m'accroupis, que dis-je, je me laisse choir au pied de l'arbre. Je ne sais pas quoi faire. Je suis figée. Occupée à avoir peur et à me demander pour quelle raison idiote j'ai eu envie de jouer les héroïnes sans peur et sans reproche. Je ne suis pas une guerrière. Je suis une toute petite fille qui aimerait bien aller faire un tour dans le lac et se sécher en enfourchant son vélo rose.

Le téléphone de Jessifée! C'est ça, le téléphone; je l'avais presque oublié. Je le sors de ma poche, le regarde, le tourne de tous les côtés à la recherche de la touche de mise en fonction. En vain. Je regrette amèrement d'avoir refusé le cours que Jessifée voulait me donner de son petit ton supérieur. Maudit orgueil! Après l'avoir secoué, jeté par terre et insulté, je réussis à le mettre en marche. Je compose mon numéro et appuie sur la touche verte, mais ça ne fonctionne pas. *Recherche de réseau*, m'annonce l'écran. Triple merde! Je n'avais pas pensé à ça.

Je fais quoi, là? Je vais frapper à la porte? «Bonjour, je passais dans le coin. Vous seriez pas en train de kidnapper mes amies, par hasard?» C'est ridicule. Je n'ai pas le choix, je dois rebrousser chemin et marcher jusqu'à ce que ce foutu téléphone trouve un réseau. Au moment où j'arrive à me remettre sur pied, un bruit me fait replonger par terre. Je me sens totalement conne. Je ne sais même pas de quoi ou de qui je me cache. C'est la porte du chalet qui s'est ouverte toute grande. Je n'en crois pas mes yeux: Florence. Elle est là, devant moi, en un seul morceau. Elle va mettre à la récupération des boîtes de pizza vides. Sacrée Florence. Même dans une situation catastrophique, elle pense à l'environnement. Elle promène un œil inquiet autour d'elle et rentre rapidement dans le chalet. La porte se referme, me laissant là, ridicule, les genoux tachés de gazon.

Je ne sais pas quoi penser. Je n'arrive pas à mettre les morceaux du casse-tête en place. Le dessin que j'ai trouvé chez Florence… Le passé douteux de Patrice et de Gargamel… Pourquoi sont-ils tous ici ? Qui a eu l'idée de venir au chalet ? Florence ? Pourquoi ? Pour aller faire une petite saucette dans le lac suivie d'un souper pizza ? Non, c'est impossible. Enfin, peut-être ? Florence ne me semblait pas en danger. Elle avait l'air nerveuse, mais pas comme une fille qu'on a menacée et maltraitée. Peut-être que les filles sont sous l'emprise des deux hommes ! Oui, c'est sûrement ça. Peut-être que Patrice et Gargamel ont fait un lavage de cerveau à toutes les filles et qu'ils ont choisi d'installer leur secte dans le chalet des Grandmaison ! Tous les délires se proposent à mon cerveau, dont la logique est mise à rude épreuve.

Finalement, ma curiosité l'emporte sur ma peur. Il faut que j'aille fouiner. Après, j'irai au village. C'est ça. Après. Mais là, je veux comprendre, je dois comprendre. Ça fait plus d'une semaine que j'assiste, impuissante, à ce que je perçois comme des manigances. J'ai la nette impression que c'est ici que tout s'explique.

Je m'approche lentement, en longeant la haie de cèdres. Je sais que la porte de devant donne sur le vestibule et que je n'y verrai probablement rien. La fenêtre du côté, elle, laisse voir la grande pièce du rez-de-chaussée, une cuisine-salle à manger et salon avec foyer. Mais c'est beaucoup trop risqué. Sinon, il y a la porte-fenêtre, derrière, face au lac, qui permet d'entrer directement dans le salon. Il n'est pas question que je m'approche même un tout petit peu de cette porte. Le plus discret serait d'entrer dans la rallonge qui sert de remise et qui possède une petite fenêtre donnant sur la pièce centrale. Le dessin de Florence, sur lequel figure chacun de ces détails, flotte dans mon esprit. Pourquoi l'a-t-elle fait ? Surtout, à qui s'adressait-il ?

Je fais le tour du chalet et tourne doucement la vieille poignée de la rallonge. Évidemment, la porte est verrouillée, mais ce n'est pas grave, je sais très bien où se trouve la clé. Je sais exactement laquelle des grosses pierres de la rocaille retourner. Florence et moi, on se cachait là pour manger de petits gâteaux, dans le temps, du temps où Florence mangeait des gâteaux.

En quelques secondes, je suis dans la rallonge, le cœur qui cogne tellement fort que je crains que ceux qui se trouvent à l'intérieur du chalet ne découvrent ma présence. Pour me rendre jusqu'à la fenêtre, je dois contourner un million d'objets entreposés pour l'hiver, de la brouette sale à la *crazy carpet*, en passant par le vieux vélo rose de Florence, à la vue duquel j'ai toujours un petit pincement de nostalgie. La fenêtre qui donne sur la cuisine est fermée, mais il m'est tout de même possible d'entendre quelques voix qui proviennent de l'intérieur.

Mon cœur cesse de battre quand j'entends celle de Patrice. Il est furieux. Il gueule un truc que je n'arrive pas à comprendre. Puis j'entends une voix féminine qui crie, qui semble répondre à Patrice en s'égosillant à un point tel qu'il est impossible de discerner le moindre mot. Quelqu'un d'autre pleure. Mon Dieu. Il faut absolument que je regarde par la fenêtre, mais j'ai trop peur. Je suis à nouveau figée. C'est le silence pendant de longues secondes, à peine troublé par quelques sanglots. La voix forte et autoritaire de Florence s'élève.

— Vos gueules!

Vos gueules? Je n'ai jamais entendu Florence dire «vos gueules» de ma vie. Et si elle était du côté de Patrice? Si c'était vraiment son amoureux et qu'il l'avait embobinée dans une histoire épouvantable où elle jouerait le rôle de complice? Non. C'est impossible. Enfin, tout me semble possible, depuis hier soir. Camille vit une histoire romantique, Annabelle est prise dans une histoire de… enfin, je ne sais pas trop encore, et Florence cache sa boulimie, mais elle s'autorise une cuite au vu et au su de tout le monde. Pourquoi est-ce que je m'étonnerais?

Le ton baisse. Je n'entends presque plus rien. Je crois que, si je mets un œil, un seul œil dans le coin de la fenêtre, personne ne m'apercevra. Ça y est. J'aperçois les filles. Elles se tiennent toutes debout dos à moi, devant Patrice, qui semble se relaxer tranquillement sur une chaise. Je ne vois pas très bien, puisqu'on me bloque la vue sur la moitié de la pièce. Pas de traces de Gargamel. Le problème, c'est que je n'arrive plus à capter les bribes de leur conversation. En fait, il semble plutôt s'agir d'un exposé oral, puisque chacune des filles prend la parole tour à tour. Patrice, lui, écoute, l'air résigné. Ce qui est certain, c'est qu'elles ne semblent pas menacées par lui. On dirait plutôt le contraire, mais je me trompe peut-être. J'approche mon oreille de la fenêtre pour tenter d'en apprendre plus, mais c'est peine perdue. Je pousse quelques babioles que d'immenses araignées ont choisies pour construire leur empire. Évidemment, je suis incapable de le faire silencieusement. À l'intérieur, on se fige, l'oreille tendue. Je reste également immobile de longues secondes, jusqu'à ce qu'on me tape doucement sur l'épaule.

Je me retourne avec une lenteur digne de Gargamel, angoissée à l'idée de tomber face à face avec lui, ou pire, avec Jessifée, qui m'aurait suivie jusqu'ici pour vivre du temps de qualité avec moi. Mais non. C'est Florence. Une Florence qui me regarde, ahurie. Dans son regard, il y a un mélange de panique, de soulagement, de culpabilité et de frustration. J'ai envie de me jeter sur elle, de la prendre dans mes bras, de pleurer toute la peur que j'ai eue, de lui dire à quel point je suis heureuse qu'elle soit vivante, de l'assurer que je suis là pour l'aider, pour l'épauler, de lui répéter jusqu'à épuisement qu'elle peut se confier à moi, mais c'est trop. C'est trop d'émotions. Je reste immobile et silencieuse.

— Au point où on en est, viens donc nous aider.

Ce n'est pas une suggestion, c'est un ordre. Elle me prend par le bras pour m'entraîner à l'intérieur du chalet. Je suis toujours incapable de prononcer un seul mot.

Les filles me regardent entrer sans rien dire, figées dans des postures qui ne sont pas toutes à leur avantage. Certaines semblent soulagées, d'autres plutôt contrariées ou apeurées. De mon côté, j'ai la bouche sèche et le cœur qui a repris sa course infernale. Je suis une visiteuse indésirable, je le sens bien, mais j'ai enfin un accès VIP à la petite représentation qu'elles préparent depuis quelque temps. J'ai eu beau me faire des centaines de scénarios différents dans ma marche jusqu'ici, celui qui se joue devant moi ne figurait pas parmi les plus farfelus. Patrice est bien assis sur une chaise, mais il est ligoté. À voir les marques sur ses bras, il a été attaché fermement et toutes ses tentatives pour se défaire de ses liens ont échoué. Sur le divan, Gargamel dort paisiblement, un peu de bave séchant sur le bord de sa bouche.

Je me retourne vers Florence, des points d'interrogation dégoulinant de mes yeux.

— Le petit café que je leur ai offert ce matin, avant de prendre la route, était assaisonné de somnifères. Pour Gargamel, j'en ai fait un double, question de pas l'avoir dans les pattes…

— Mais d'un coup qu'il se réveille pas, pis qu'il meurt, hein ?

— Ça fait cinquante fois que je te le dis, Alex, il mourra pas. Ma mère fait ça tout le temps, prendre quatre somnifères, pis elle meurt pas !

Les points d'interrogation dans mes yeux grossissent au point de manger tout mon visage. Florence me répond, agacée :

— Ben oui, où tu penses que je les ai pris, les somnifères ? Parmi les millions de pilules de ma mère ! Regarde-moi pas comme si tu t'en doutais pas, Cendrine ! Comment tu penses qu'elle fait pour être aussi décontractée et souriante tout le temps ? Elle est gelée raide.

— ...

Il y a une telle rancœur dans la voix de Florence ! J'entends les miettes cristallines de sa famille parfaite se fracasser sur le sol. Mais je ne sais toujours pas ce que Patrice fait dans cette posture. Ou peut-être que j'en ai une petite idée.

— Vous savez que la police est à votre recherche ?

C'est tout ce que j'ai trouvé pour détendre l'atmosphère à couper au couteau. Tout le monde sursaute, même moi. Je suis surprise d'entendre ma propre voix. C'est qu'il est rare que je passe autant de temps sans parler. Ma réplique fait son effet.

— Je te l'avais dit, Florence ! Je le savais que ce serait pas long que nos parents apprendraient qu'on n'est pas au camp. Je le savais, je le savais, je le savais, chigne Géraldine.

Même dans ce contexte dramatique, ma pensée a envie de faire une blague sur son nom, mais, pour une fois, je m'abstiens.

— Il est trop tard là, Gé. Arrête de brailler !

Florence est hors d'elle. Je ne la reconnais plus. Tout le monde semble en être effrayé, même Patrice.

— Nos parents pensent qu'on a disparu ? Y a des avis de recherche, des photos pis tout le bataclan ? demande Karine en me regardant avec des yeux de petit chiot coupable.

— Oui. Mon beau-père est même parti en Beauce.

— En Beauce? C'est quoi, le rapport? s'exclame Florence, énervée.

— Il faudrait le demander à Patrice.

Toutes les filles se tournent vers lui juste à temps pour le voir blêmir d'un seul coup.

— Je sais pas de quoi elle parle!

— Ah non?

Toutes les filles se tournent vers moi. J'avoue que je prends plaisir à être détentrice de l'attention exclusive du groupe, surtout de la part des Girafes, qui n'ont jamais accordé la moindre importance à la naine anémique que je suis et à qui le volleyball est à jamais interdit. Je fais une pause, le temps de créer le suspense et de regarder Patrice droit dans les yeux, silencieuse. Je me rends compte qu'il est suspendu à mes lèvres, qu'il redoute mes paroles. Je le laisse languir. Je joue la méchante policière. C'est alors que je comprends dans un éclair de lucidité ce qu'il fait ici et ce qu'elles font toutes, debout, devant lui. Je suis arrivée en plein procès. Procès pour quoi, je n'en suis pas sûre, mais c'est bel et bien un procès.

— Notre beau Patrice national…

Beau! Je viens de dire à Patrice que je le trouve beau! Ça y est, je rougis, mais ce n'est pas le moment!

— Notre beau Patrice national s'est fait mettre dehors d'une école secondaire en Beauce parce qu'il sortait avec une élève! que j'annonce triomphalement.

— Ouache!

C'est Marianne qui a poussé le premier cri de dégoût, suivie de près par ses semblables. Ma mère me répète souvent un proverbe : *La première poule qui caquète, c'est celle qui a pondu.* Je n'ai jamais vraiment compris ce qu'elle voulait dire, mais là, avec ce que je lis dans les yeux de Marianne, je comprends. Son «ouache»! manquait tout à fait de conviction. Elle est visiblement jalouse, d'une jalousie mêlée de culpabilité. Je scrute le regard de toutes les autres. J'y lis des sentiments similaires, même dans celui de Florence.

— Tu m'écœures.

Quand Florence prend la parole, c'est toujours la même chose : on se tait.

— T'es même pas capable de t'en prendre à du monde de ton âge.

— Mêle-toi de tes affaires, crache Patrice, tu connais pas l'histoire. La fille était consentante.

— C'est sûr qu'elle était consentante! On serait toutes consentantes, ici! On a toutes été consentantes de laisser nos chums, pis de nous coucher tôt, pis de nous plier à tes maudits régimes niaiseux, pis de te rendre des comptes, pis de devenir tes esclaves, dans le fond!

Ah! C'est de là qu'il vient, le festival de la rupture amoureuse! Je comprends de mieux en mieux la lettre que j'ai subtilisée et déchirée en miettes. Elle ne parlait pas de Tristan, mais de Patrice.

Celui-ci émet un rire condescendant.

— Mes esclaves? Mes esclaves? N'importe quoi!

— Oui, tes esclaves! Penses-tu qu'on a envie de sauter un entraînement quand on se fait dire chaque jour qu'on a presque un corps d'athlète?

Penses-tu qu'on a le choix de prendre des laxatifs quand on se fait dire : « J'espère que le temps des fêtes gâchera pas tout le beau travail qu'on a fait ensemble » ? Penses-tu qu'on a le choix de quitter notre chum quand le meilleur entraîneur de la ville, et surtout le plus beau, nous dit avec son plus magnifique sourire que c'est pas un gars pour nous pis qu'il est le seul obstacle qu'il nous reste à éliminer pour devenir la meilleure ? Penses-tu qu'on a le choix de venir au camp de sélection quand on a abandonné tout le monde, comme tu nous l'as gentiment suggéré, pis qu'il nous reste juste toi dans la vie, juste toi pis tes maudits yeux turquoise dans lesquels on a tellement envie de voir qu'on est la meilleure ?

— Woh ! woh ! woh ! là, y a personne qui vous a obligées à faire quoi que ce soit !

— C'est vrai. C'est tellement vrai. On est les seules coupables. Les seules coupables parce qu'on est responsables de nos actes, je suppose ? Responsables, putain !

Tout le monde sursaute lorsque Florence jure. Je ne l'ai jamais entendue dire un gros mot de toute sa vie.

— Ça me fait capoter, ce mot-là, « responsable ». Moi, tout le monde le sait, je suis une fille tellement responsable ! Je suis tellement tannée d'être responsable, si vous saviez ! Le matin de mes seize ans, ma mère m'a dit de penser à lâcher mon fou, selon son expression. Elle m'a dit : « T'en fais tellement, Florence, tu t'en mets tellement sur les épaules ! C'est important de fêter un peu, surtout à ton âge. » Ma mère m'a dit ça, ma mère m'a dit ça ! Ma mère qui m'impose un couvre-feu pis qui pense que fumer un joint mène inévitablement à l'héroïne. C'est là que ça m'a sauté dans la face. C'est même pas mes parents qui m'obligent à faire tout ce que je fais. En tout cas, pas directement. C'est pas eux qui m'inscrivent à toutes les activités que je fais. C'est moi. C'est moi toute seule. Mes parents, ils sont tellement habitués que je sois la meilleure qu'ils réagissent même plus !

« Là, je me suis demandé pourquoi je faisais tout ça, pourquoi je me mettais ce poids-là sur les épaules, ce stress-là dans ma vie. Parce que c'est vrai, je vis constamment avec un poids sur les épaules. Là, ça m'a frappée. C'est pas toutes mes activités qui sont un poids sur mes épaules. Le poids, il est là depuis bien plus longtemps ! En fait, c'est le contraire. C'est pour arrêter de sentir le poids sur mes épaules que je fais tout ça. C'est pour arrêter de sentir… je sais pas, arrêter de sentir la maudite angoisse qui me pèse sur la poitrine chaque matin.

« C'est pour arrêter d'éprouver la sensation qui m'aspire de l'intérieur que je vide chaque soir le garde-manger, toujours trop plein. En me faisant vomir, après, j'ai une impression de légèreté. J'ai l'impression pendant quelques minutes que mon angoisse est partie avec l'eau de la toilette. Mais ça dure pas. Donc, j'étudie, je joue du piano, je m'entraîne, je joue au volley, pis quand, par exemple, je manque un point super facile dans un match, je m'interdis de vider le frigo ce soir-là. Je me punis. Mais c'est insupportable et, le lendemain, je mange encore plus. Pis mes parents qui font semblant de pas s'en apercevoir!

«Mais c'est de leur faute! Je veux dire que ça doit ben venir de quelque part, le sentiment d'être obligée d'être parfaite? Mais, ce qui marche pas pis qui me tue, c'est que je sais même pas pourquoi. Hein? Obligée d'être parfaite, sinon… Sinon quoi? C'est ça qui tient pas la route. Je sais même pas ce qui va arriver si je suis pas parfaite. Mais je sais une chose, maintenant: je suis pas la seule responsable, non! Je peux pas, je veux pas être la seule responsable de ce sentiment-là! C'est de la faute à mes parents, aux profs, à la société, pis surtout, c'est de la faute à ce maudit Patrice!

«Patrice est l'exemple parfait de ceux qui profitent des filles comme moi, des filles qui cherchent juste un regard pour leur renvoyer l'image de ce qu'elles aimeraient être. Ça m'écœure. Je suis tellement tannée d'être à la recherche de cette image-là de moi! Si tu savais à quel point j'aimerais juste ça, me lever, pas me peser, faire comme la plupart des filles de mon âge pis pas réfléchir à grand-chose, juste passer à travers ma journée sans toujours me poser dix mille questions, sans toujours me regarder vivre! Quand j'observe certaines filles à l'école, je suis tellement jalouse! Quand elles parlent, qu'elles marchent, qu'elles rient, qu'elles prennent des notes, elles sont juste là. Elles ont l'air présentes dans ce qu'elles font. Moi, je suis toujours quelque part en train de flotter au-dessus de moi-même, de m'observer, de me critiquer et de me punir. Je suis jamais dans le moment présent. Je suis toujours en train de ressasser mes erreurs passées ou d'angoisser pour le futur. Dans le fond, j'aimerais ça être comme Jessifée, être trop conne pour être consciente de tout ça. Ou être comme toi, Cendre, et avoir une capacité d'autodérision assez grande pour accepter de pas être parfaite. Dans le fond, je suis jalouse de toi et de Jessifée. »

Elle lève la tête et me regarde comme une petite fille qui voudrait tellement qu'on retrouve la poupée qu'elle a perdue ! C'est moi qui suis dans le champ ou Florence vient de me comparer à Jessifée ? Si je n'étais pas totalement estomaquée par ses propos, je serais un peu offusquée. Mais je suis beaucoup trop occupée à être abasourdie pour me fâcher. En fait, je suis désorientée par ces affirmations. Florence jalouse ? Florence, celle dont tout le monde prendrait la place n'importe quand, est jalouse ? Florence boulimique ? Ça ne se peut comme pas, ça dépasse mon entendement. Ai-je été moi aussi tellement absorbée par l'image que je projette que je n'ai jamais, mais au grand jamais, vu que Florence souffrait ? Ai-je été trop occupée à me comparer à l'image que j'avais d'elle pour vraiment l'écouter ? Florence pleure doucement, discrètement, même si tout le monde la regarde, comme seule une Grandmaison sait le faire. Tout à coup accablée par une grande lassitude, elle se laisse tomber sur une chaise et profère avec une espèce d'indifférence :

— Tu me fais chier, Patrice Barré. Tu me fais chier parce que tu en profites. Parce que tu te nourris de notre regard. Tu suces tout ce qu'on a !

Tu nous en demandes tellement qu'il nous reste plus rien. Tu es rien qu'un vampire !

Un vampire ? Ça me fait vaguement penser à un des rêves que j'ai faits cette semaine. Quelques paroles d'approbation se font entendre ici et là, et c'est ensuite le silence. Un silence chargé de malaise.

Je me demande si les autres filles ont toutes réellement compris le but poursuivi par Florence en kidnappant Patrice et Gargamel, n'ayons pas peur des mots. Je me demande quelle raison Flore a invoquée pour les embobiner dans son plan. Ce que je sais, c'est qu'elle vient de crever un abcès, un gros abcès dont le pus gluant a écla- boussé tout le monde. Les filles semblent gênées d'être témoins d'un étalage aussi cru de la part de celle que, sans exception, elles croyaient la plus forte, moi la première. Même Patrice paraît ébranlé devant le spectacle de sa douleur. Pendant un instant, je vois dans son regard une certaine compassion. Pendant un très court instant, j'ai l'impression que tout va s'arranger, que Patrice va serrer Florence dans ses bras et qu'elle va instantanément renoncer à sa boulimie, que les filles vont arriver à temps au camp de sélection, qu'elles vont y livrer la performance de leur vie et être fières d'elles. Mais mon petit conte de fées est interrompu par une voix nasillarde et traînante :

— Vous faites tellement pitié, les filles ! Pauvres vous autres !

Surprise généralisée. Tout le monde avait oublié Gargamel. Il se redresse lentement, anky- losé par son long sommeil. Sa voix n'est pas celle dont il use dans ses consultations. Il parle plus vite. Sans ses lunettes, avec sa casquette sur la tête, il á l'air beaucoup plus jeune. En fait, j'imagine qu'il a simplement l'air de son âge. Lorsqu'il a l'attention de toutes, il reprend:

— Pauvres petites filles pognées pour recevoir la meilleure éducation dans la meilleure école, pour faire des cours de trente-six affaires en même temps, pour recevoir trente-six prix au gala Méritas, dans la belle robe que leur *pôpa* leur a achetée! C'est pas drôle, hein, d'avoir des parents qui ont de l'argent? Hé que c'est pas drôle de faire des trips de bouffe au saumon fumé et de se faire vomir dans des toilettes silencieuses! Je vous plains. Je vous plains tellement!

Tout en parlant, il se lève et libère Patrice de ses liens, lequel ponctue le discours de son ami de petits rires méprisants. De toute évidence, il partage l'opinion de son grand ami Gabanane, qui me semble beaucoup moins psychologue, tout à coup. En fait, à mes yeux, il a toujours été incompétent, mais là il semble carrément correspondre aux informations rapportées par Jean-Maurice, c'est-à-dire qu'il est capable de propos abusifs.

Figées par la surprise, aucune des filles ne s'est opposée à la libération de Patrice, pas même Florence. Les deux hommes nous font maintenant face, l'air triomphant. Karine, Jade et Alexane se collent l'une à l'autre instinctivement comme pour se protéger. Je ne sais pas quel était le superplan de Florence une fois que les deux hommes seraient réveillés, mais ça me surprendrait que ça corresponde à ça. Le truc, c'est qu'elle semble s'en foutre totalement. Alors que les autres manifestent des signes de peur, elle est assise sur le divan et elle broie du noir. Tout le monde attend sa réaction, qui ne vient pas. Elle semble s'être totalement vidée de sa substance en évacuant les révélations qu'elle vient de faire. Devant l'attitude des deux hommes qui se fait de plus en plus menaçante, je tente ma prochaine carte :

— Vous savez ce que ça veut dire, un procès pour abus de pouvoir sur des mineures et pour dissimulation d'informations ? demandé-je, la voix un peu tremblotante.

— Comment ça, dissimulation d'informations ? demande Patrice, inquiet.

Ça fonctionne. Je reprends de l'assurance et continue :

— Ben, la police a pas seulement fait des recherches sur toi, monsieur c'est-pas-de-ma-faute-si-je-couche-avec-mes-élèves, mais aussi sur ton cher ami ; elle a découvert qu'il a été suspendu de l'Ordre des psychologues plusieurs fois pour avoir dit un paquet de niaiseries à ses patientes ! Moi, ça m'a pas pris une enquête pour réaliser ça, mais la police a le droit de faire des détours.

Cris d'indignation. Même Florence ouvre grand la bouche, muette. Elle n'avait visiblement pas vu venir ça. Dans les yeux de quelques filles, je lis de l'humiliation, mais aussi du soulagement. Elles ressassent mentalement tout ce qu'elles ont entendu de la bouche de cet imposteur. De son côté, Gargamel jette un regard lourd de reproches à son acolyte.

— Tu m'avais dit de pas m'inquiéter, que personne le découvrirait, que tu t'occupais de ça !

— Je le savais pas, moi, qu'on se ferait kidnapper pis que la police s'en mêlerait !

— Tu vois où ça nous mène, tes maudites niaiseries de contrôle ! Ça aura vraiment servi à rien que je te sorte de la bouette la dernière fois, en Beauce. Regarde-moi le gâchis !

— Moi je pense que ça va vous mener en prison, dis-je le plus sérieusement du monde, même si je ne suis pas certaine que ce soit le genre d'accusation qui mène à une telle sentence.

— Woh ! woh ! woh ! 'tite fille, se défend Gargamel. Je te rappelle que c'est nous autres, les victimes, ici. C'est nous qui avons été drogués et attachés !

— Ben oui ! Vous pensez que les policiers vont croire ça ?

Dans un élan, ma foi, d'inconscience qui me semble sur le moment une idée de génie digne de tous les romans policiers que je dévore, je m'empare des cordes qui ont servi à ligoter Patrice et me jette sur Florence dans le but de l'attacher. Mon superplan est de faire des marques sur ses poignets pour que les policiers croient à la thèse des kidnappeurs. Mais comme je suis moi et la sœur de mon frère, je m'enfarge dans mes grands pieds et je tombe par terre en me frappant violemment la tête contre le poêle à bois.

Je reste sur le sol plusieurs secondes, minutes ou heures, je ne sais plus, me demandant si je suis toujours vivante. Je sais, je sais, je me la joue Jessifée. Lorsque l'évidence me frappe que ce n'est pas aujourd'hui que j'irai rejoindre mon chien Mopette, un petit yorkshire-terrier dont je ne me remettrai jamais de la mort, je me relève lentement et m'assois sur le sol. Comme j'ai le cerveau déchiré par des éclairs de douleur, je ne remarque pas tout de suite les cris qui remplissent le salon. Ce n'est que peu à peu que mes yeux réussissent à faire la mise au point sur la scène, qui a pris une tournure nettement plus dramatique.

Avec une brutalité qui annonce que la fin de l'histoire ne sera pas celle que Florence avait prévue, Gargamel est en train de l'attacher au tuyau du poêle à bois, en marmonnant à répétition :

— Toutes pareilles ! Sont toutes pareilles, juste des maudites princesses !

Mon amie se débat en vain sous la poigne qu'on ne croyait pas si solide du psy, alors qu'aucune de ses coéquipières, trop déboussolées par la tournure des événements, n'ose se porter à son secours. Certaines recommencent même à pleurer.

Là, sous le regard horrifié des Girafes et celui mi-curieux, mi-admiratif de Patrice, Gargamel se dirige vers la boîte à bois en continuant de marmonner des insultes. Sans cesser de nous regarder avec un air de défi, il fait des boulettes de papier journal et choisit minutieusement du bois d'allumage. Puis, lentement, avec l'application d'un enfant qui dessine en tirant la langue, il fait une belle pyramide avec le petit bois et quelques bûches un peu plus imposantes dans le poêle. Il repère ensuite le paquet d'allumettes qui traîne non loin ; il le fait disparaître et apparaître dans sa main, comme un mauvais magicien de colonie de vacances engagé pour amuser les tout-petits.

Personne ne bouge, toutes sont hypnotisées par ses mouvements, refusant de croire ce qu'il s'apprête à faire. Je ne suis pas mieux que les autres. Je reste assise sur le sol, ne trouvant rien d'autre à faire que de crier moi aussi. Alexane sort enfin de sa torpeur et se jette sur Florence. Gargamel la repousse brutalement, de sorte qu'elle se retrouve à mes côtés, sur le tapis aux motifs indescriptibles.

— Quelqu'un d'autre veut sauver notre belle championne de volley?

Patrice, qui semble avoir pris la décision de suivre son ami d'enfance dans son plan machiavélique, s'empare d'une bûche et tourne autour de ses joueuses en les menaçant. Gargamel craque une allumette et, pendant que la flamme la consume, il dit sur le ton autoritaire qu'il prend habituellement dans son cabinet-placard de consultation:

— Alexane, arrête d'essayer de faire le 911 avec ton téléphone dans ta poche, tu trouveras aucun réseau ici. Karine, tu devrais te moucher. Jade, est-ce que c'est ça que tu cherches?

Il lui montre les clés du minibus. Nonchalamment, il lance l'allumette au centre de sa petite pyramide qui s'enflamme aussitôt, sous les cris de terreur des huit filles qui le regardent, impuissantes. Il s'agenouille ensuite devant le feu et s'y réchauffe les mains, malgré la chaleur étouffante qui règne dans le chalet. Je vois ses yeux fous se transformer peu à peu jusqu'à ressembler à ceux de Moïse Thériault. Quand il sort de nulle part un bâton orné d'une guimauve, je me tourne vivement vers les autres pour être certaine que je n'hallucine pas. Patrice se trouve tout près de moi, tenant à la main une scie. Lui aussi prend lentement les traits du gourou. Décidément, j'ai dû me frapper la tête plus fort que je ne le croyais.

Je vois que la plupart des Girafes sont déchirées entre l'envie de trouver une solution pour tirer Florence du mauvais pas où elle se trouve et celle de se sauver à toutes jambes. Sauf qu'il ne sert à rien de courir, puisqu'il n'y a aucune maison dans un rayon de cinq kilomètres.

De son côté, Florence essaie toutes les contorsions possibles pour s'extraire de ses liens, le visage déformé par la peur et l'effort. Elle gesticule sans arrêt. Elle tourne ses deux poignets, les poings fermés, et fait un « x » avec les doigts. Une petite lumière s'allume illico dans ma tête. Je connais ces deux mouvements. Ce sont des signes du LSQ. Le premier veut dire « vélo », alors que le « x » avec les doigts, c'est la lettre « r », « r » comme « rose ». Depuis quand Florence connaît-elle le langage des signes ? Je n'ai pas le temps d'élucider cette question. Je comprends le message de ma meilleure amie. Je me lève rapidement et, constatant qu'il m'est possible de faire quelques pas sans que ma tête explose, je m'élance en direction de la rallonge, où rouille le vieux vélo rose de Florence. Gargamel me crie :

— C'est ça, la naine, essaie de courir jusque chez vous ! Pis oublie pas d'aller vérifier si ta mamie est toujours vivante !

Son rire démoniaque m'emplit les oreilles, le nez et même la bouche. Il s'épaissit au point de me paralyser. Je fais des efforts démesurés pour courir, mais mes jambes ne répondent pas aux commandes que je leur envoie. Le salon s'étire jusqu'à l'infini, au point que j'arrive à peine à distinguer la porte de la rallonge. Le plancher, lui, se transforme en mélasse et menace de m'engloutir. Aux rires de Gargamel et de Patrice se mêlent ceux des Girafes, qui me lancent des insultes comme :

— T'es même pas capable de courir sans trébucher dans tes propres pieds !

— T'es pourrie en volley !

Je sais ce que vous vous dites, en ce moment. Réveille, Cendrine ! C'est exactement ce que je me dis en me retournant pour constater que les Girafes sont devenues de véritables girafes qui, pattes de devant écartées, broutent le tapis du salon, pendant que Patrice aiguise tranquillement sa scie.

Soulagée, mais tout de même un peu honteuse de ne pas m'en être rendu compte plus tôt, je réalise que je suis bel et bien en train de rêver. Malgré tout, je n'arrive pas à maîtriser ma peur que Gargamel m'attrape pour m'attacher avec Florence, dont la peau des poignets commence à sentir la chair brûlée. J'arrive tout de même à appliquer mon protocole en cas de cauchemar.

Méthode numéro un : je ferme les yeux très fort et les rouvre très grand. Résultat, Gargamel me crie :

— Ce n'est pas avec des yeux comme ceux-là que tu risques qu'un gars s'intéresse à toi un jour !

Méthode numéro deux : je me laisse tomber par en arrière. Résultat, je me frappe la tête sur le plancher, ce qui ravive ma douleur. Pendant un instant, je me demande si je rêve vraiment. En voyant Jessifée qui débarque dans le salon avec sa crème solaire, je me rassure ; c'est oui. Je tente donc ma méthode numéro trois, que j'ai nommée la confrontation. Je me retourne pour faire face à Gargamel.

— Tu me fais même pas peur, t'es rien qu'un personnage de mon rêve !

Il change subitement d'air et me répond, agacé, avec la voix d'Alexane :

— Elle saigne ! On a besoin d'aide !

Je m'apprête à répéter mes paroles lorsque je réalise que je suis étendue sur le sol et qu'on me secoue doucement dans le but de me réveiller. Au-dessus de moi se découpent les visages inquiets d'Alexane et de Marianne.

— Elle est réveillée ! Monsieur Gabanel, Patrice, s'il vous plaît !

OK. Je suis réveillée. J'ai réussi. Je n'ai pas perdu toutes mes compétences de rêveuse, ce qui me rassure. J'ai un mal de crâne épouvantable. C'est que je me suis salement frappé la tête contre le poêle à bois ! En évoquant cette idée, je suis happée par la peur incontrôlable que je ressentais plus tôt, à l'idée que Florence termine son existence sous forme de méchoui.

Mais où est Florence ? Je regarde autour de moi, mais c'est flou. Je comprends, à voir les regards affolés des Girafes posés sur moi, qu'il y a quelque chose de grave, quelque chose d'urgent.

Je ne sais plus trop distinguer le vrai du faux, mais, chose certaine, Gargamel m'inspire une terreur sans nom, même si je ne le retrouve pas dans mon champ de vision, pour le moment. Tout ce à quoi je suis capable de penser de façon cohérente, c'est au vieux vélo rose de Florence. Je sais qu'il est encore dans la rallonge, j'ai dû le déplacer un peu plus tôt pour me rendre à la fenêtre. Je fais ni une ni deux et je me sauve sans regarder derrière moi. En quelques secondes, j'ai enfourché la bicyclette et je me précipite sur le chemin cahoteux. Je me fous de pédaler les genoux dans le front, il me faut sauver Florence des griffes du psychologue-gourou devenu fou.

Après quelques courtes minutes de pédalage intensif dans la gravelle, la première chose que je réalise, c'est que je n'ai pas les genoux dans le front. En fait, le vélo est presque parfaitement ajusté à ma taille. Pfff! Ce n'est rien pour me remonter l'ego, ça : à quinze ans, j'ai enfin atteint la taille que Florence avait à dix ans! Ensuite, de penser à mon front me fait réaliser qu'il saigne. Un liquide gluant me coule sur la joue. La troisième chose qui me frappe, c'est que je suis seule dans la forêt, sur un petit chemin de terre. Seule et sans défense. La quatrième, qui est en partie un corollaire de la troisième, c'est que j'ai peur comme jamais auparavant. Oui, je l'avoue, j'ai un peu peur de pédaler toute seule dans le bois, mais j'ai douze millions de fois plus peur de ne pas me rendre au village à temps, d'être responsable de la mort de Florence.

À l'évocation de cette idée, mes petites jambes redoublent d'efforts, comme si c'était possible. Debout sur le vélo rose de Florence, en cambrant le dos, je pédale comme je ne l'ai jamais fait dans ma vie, comme si j'avais toutes les créatures diaboliques de la forêt à mes trousses, comme si j'avais Gargamel lui-même collé aux fesses. Pas le Gargamel sur le point d'être radié de l'Ordre des psychologues, mais le vrai Gargamel, celui qui imagine des plans machiavéliques pour capturer les pauvres petits schtroumpfs, le même Gargamel qui prenait un plaisir évident à mettre le feu aux bûchers des Girafes dans mon rêve du château mauve. Je commence à trouver ça beaucoup moins drôle de faire des rêves prémonitoires.

Et c'est là qu'une cinquième chose me frappe. Fort. En fait, elle semble se lancer devant les roues de mon vélo, puisque j'en perds la maîtrise. C'est cette constatation que j'aurais dû faire en premier, si je n'avais pas été aussi occupée à numéroter mes découvertes afin d'éloigner ma peur. J'ai rêvé. J'ai rêvé tout cela. Enfin, non, pas tout. Je sais que je suis allée dans le chalet. Je sais que tout le monde s'engueulait et que Gargamel s'est réveillé, mais je ne sais plus trop. Je sais que l'idée du vélo rose, c'est celle de la Florence qui est attachée au tuyau du poêle à bois. Mais Florence ne connaît pas le langage des signes, ça, j'en suis certaine. Donc, si je suis la logique, Florence n'est pas attachée au tuyau du poêle à bois. Mais où était-elle ? Et pourquoi n'est-ce pas son visage que j'ai vu en me réveillant ?

Je suis confuse. Confuse et trempée. Trempée parce que, et c'est la sixième et dernière chose que je constate, je suis tombée dans un fossé boueux. Ça ne vous surprend pas ? Moi non plus. Mais ce qui me surprend, c'est qu'exactement à ce moment, où j'aurais envie d'abandonner et de prendre un bon petit bain de boue et de larmes, deux voitures arrivent de nulle part et se garent à côté de moi.

La première est une voiture de police. De la seconde voiture, que je connais fort bien, descendent d'un côté une Jessifée gonflée de fierté, de l'autre une mère hystérique même pas maquillée, la mienne. Je m'attends à des cris, des larmes, des « veux-tu ben me dire ce qui t'a pris t'es privée de sortie jusqu'à tes trente-deux ans et demi » ou même des « je t'aime tellement je ne te laisserai plus jamais mettre ta vie en danger comme ça », mais non. En silence, elle me tire de mon fossé et secoue mes vêtements comme si j'avais encore quatre ans. Elle se mord les lèvres, me regarde avec toute la tristesse du monde dans les yeux et dit presque en chuchotant :

— Mamie s'est fait frapper par une voiture.

J'en ai plus qu'assez de faire des rêves prémonitoires.

14

✦ — ♥ — ✦ — ♥ — ✦

UNE TOILE D'ARAIGNÉE
ET UNE SAUVEUSE

✦ — ♥ — ✦ — ♥ — ✦

Il fait noir. Enfin, pas tout à fait. Un feu de bois
brûle au milieu du noir. Moi, je suis sur un vélo
stationnaire et je pédale de toutes mes forces. Au
lieu du bruit de mon vélo, j'entends celui, régulier,
d'une respiration. Tout à coup, je suis dans la
salle de musculation de mon école, aux côtés
des Girafes qui pédalent beaucoup plus rapidement que moi. Sur un écran de télé devant moi,
Florence sourit à s'en décrocher la mâchoire et
parle en LSQ. Je sais qu'elle s'adresse uniquement
à moi, même si toutes les autres filles de la salle
semblent hypnotisées par son image télédiffusée.
J'essaie de me concentrer pour comprendre son
discours, mais je n'y arrive pas. Je ne reconnais
aucun des signes qu'elle fait. Lorsqu'elle arrête de
bouger ses mains, elle les place en porte-voix et
me crie :

— Réveille-toi !

J'ai mal au dos. J'ai dormi sur la chaise à côté du lit d'hôpital de mamie pour la deuxième nuit de suite, malgré les conseils de mes parents. Florence est là, à côté de moi, sans aucune blessure aux poignets. Quant à ma grand-mère, c'est autre chose. Un appareil souffle de l'air dans ses poumons. Des dizaines de fils courent autour d'elle. Elle a l'air d'une mouche prise dans une toile d'araignée. Je fais un sourire artificiel à Florence. C'est que je ne me suis pas préparée à sa visite. Je ne l'ai pas revue depuis le chalet. J'ai tant de questions à lui poser ! J'ai à peine le temps d'ouvrir la bouche qu'elle me cloue le bec avec un gros muffin aux pépites de chocolat.

— Tiens, c'est meilleur que la gibelotte que la cafèt' de l'hôpital offre pour déjeuner.

— Merci. Il paraît que c'est la cuisinière de la cafèt' de l'école qui fait les menus de l'hôpital…

— Pour vrai ?

— En fait, je pense même que l'école achète les restants de l'hôpital.

— T'es conne, me répond-elle en riant, constatant que je me moque d'elle.

Ça fait des siècles qu'elle ne m'a pas traitée de conne. Je sais que c'est une insulte affectueuse. Ça me soulage. Je suis heureuse de voir que nous n'avons pas perdu notre bonne habitude d'utiliser l'humour pour nous sortir des situations difficiles.

— Comment elle va ? me demande Florence avec sérieux, en faisant un geste du menton vers mamie.

— Correct. Elle est hors de danger. Le médecin dit qu'elle devrait se réveiller bientôt. Elle est dans une espèce de coma artificiel ou je sais pas trop quoi. C'est incroyable comme c'est difficile de se faire expliquer quoi que ce soit ici ! Mais comme elle commence à être vieille et qu'elle a eu plusieurs fractures, elle risque de passer le reste de ses jours en fauteuil roulant.

— C'est vraiment trop triste…

— Tu sais, la couture, ça se fait assis. C'est pas comme si elle avait un camp de sélection de volley demain matin !

Le regard de Florence s'assombrit. Oups. Je ne sais pas si je suis allée trop loin. Mais c'est la seule façon que j'ai trouvée pour aborder les événements d'avant-hier. Voyant qu'elle n'entrera pas elle-même dans le vif du sujet, je lance à brûle-pourpoint :

— Je comprends toujours pas pourquoi c'est pas toi que j'ai vue en premier quand je me suis réveillée sur le plancher, au chalet.

— Quand tu t'es évanouie et que j'ai vu que tu étais blessée au front, je suis tout de suite partie chercher la trousse de premiers soins dans la salle de bain. Quand je suis revenue au salon, tu étais partie en courant. J'ai essayé de te rattraper, mais tu avais pris mon vieux bicycle rose ! En passant, il semble à ta taille ; je peux te le donner, si tu veux…

Elle me fait un triste sourire. Elle n'a pas l'énergie d'essayer de me faire fâcher, son sport préféré après le volley. Enfin, je n'en suis plus aussi certaine.

— Quand les policiers sont arrivés au chalet, ils nous ont dit que j'étais en train de me faire brûler vive, selon ce qu'avait raconté la fille de Jean-Maurice.

— Ils ont vraiment dit ça ?

— Ben oui ! Veux-tu bien me dire pourquoi tu leur as dit ça ?

— C'est à ça que j'ai rêvé pendant que j'étais évanouie. C'est pas de ma faute ! J'étais un peu mêlée en me réveillant… Mais… les policiers ont vraiment dit que j'étais la fille de Jean-Maurice ?

— Ben quoi ? Ça se pourrait, non ? Tu lui ressembles pas mal, je trouve !

— Ha, ha, ha !

— Dis-moi sans rire que tu t'es pas prise pour une police, dans cette histoire-là !

— J'avoue.

— Mais attends : tu as rêvé que j'étais brûlée vive ? Tu es pas tannée de faire des cauchemars épouvantables et de les confondre avec la réalité ? Est-ce que je t'ai déjà dit que tu devrais consulter un psychologue ?

— Mais c'est ce qu'on m'a forcée à faire et tu vois où ça mène ! Il était tellement pourri que j'ai fini par rêver qu'il t'avait attachée au tuyau du poêle à bois et qu'il se faisait tranquillement un feu !

Flore éclate de rire. D'un vrai rire sincère. J'ai envie de la prendre dans mes bras, mais je ne le fais pas. Pourquoi je ne le fais pas ? Peut-être que je devrais voir un vrai psychologue. Elle répond avec énergie :

— Gargamel ne s'est pas attaqué à moi, t'inquiète pas. Il est cave et c'est clair qu'il déteste les petites princesses des écoles privées, comme il le dit si bien, mais il est pas psychopathe! En tout cas, je pense pas, malgré que t'as pas tout à fait tort. Au lieu de nous aider à nous occuper de toi après ta chute, il continuait à nous insulter! Patrice non plus n'a rien fait pour te venir en aide. Il était bien trop occupé à avoir peur pour sa job! C'est assez ordinaire, comme adultes responsables.

— Ce doit être pour ce genre de niaiseries là que Gargamel a été suspendu de l'Ordre des psychologues dans le passé. Je me demande juste comment il a fait pour être *désuspendu*.

— Je pense que, cette fois-ci, il va être radié. Ton beau-père m'a dit que plusieurs parents avaient porté plainte contre lui. Apparemment, les filles ont fini par se rendre compte que ça n'avait pas d'allure, ce qu'il leur disait.

— Mais, là, est-ce que ça va être suffisant? Ce sera la parole des filles contre la sienne, non?

— Non. Pas avec le nombre de parents qui se sont plaints. Et surtout pas avec le concierge, qui a entendu la majorité des consultations.

— Euh, il est sourd, le concierge, Flore!

— Est-ce que quelqu'un s'est déjà vraiment attardé à savoir s'il était sourd? Il faut croire que non, puisque selon ce que j'ai appris, c'est pas parce qu'on est muet et qu'on parle le langage des signes qu'on est automatiquement sourd! Tu devrais savoir ça, toi, avec ta grand-mère…

— Mais, ma grand-mère, c'est le contraire : elle est sourde, mais pas muette.

— Ils sont complémentaires ! C'est vraiment beau ! On devrait tellement les présenter l'un à l'autre !

Je jette un regard triste sur mamie, qui n'en finit plus d'être immobile. Je n'ai pas la force d'expliquer à Florence que c'est déjà fait et que mamie ne veut rien savoir de lui. Elle reprend plus doucement :

— Pour en revenir à Gargamel, je pense que la preuve sera faite que ses techniques pour guérir les troubles alimentaires étaient assez douteuses.

— Grosse nouvelle.

Je fronce les sourcils en entendant le toussotement d'une des machines qui envahissent la pièce. Florence prend aussi un air sévère, son air de grande sœur.

— Ça fait mal ? qu'elle me demande en regardant mes points de suture au front.

— Non, ça va. J'ai failli m'évanouir à nouveau quand le médecin me les a faits, mais là, c'est correct.

Silence. Une panoplie de questions se bousculent dans ma tête. Je n'ai jamais été bonne pour provoquer les confidences délicates. De toute façon, Florence parle toujours la première et je me tais en faisant semblant d'étudier l'appareil qui maintient ma grand-mère en vie.

— Tu as volé une des petites lettres qu'on se passait, l'autre jour, dans le cours, hein ?

— Euh… oui.

— Je le savais.

— Pourquoi tu as rien dit ?

— Je pense que, dans le fond, j'espérais que tu découvres notre plan. Ben, mon plan.

— Je pensais que la lettre parlait de Tristan.

— Hein ? Pourquoi ?

— Parce que ça disait que tu étais tannée de rendre des comptes. J'ai compris juste plus tard que ça parlait de Patrice.

— Ouin.

Le visage de Florence se ferme à nouveau. J'imagine qu'elle pense à Tristan. Je me demande si elle a des regrets.

— Juste de même, pour que tu le saches, Tristan est sûr que tu sors avec Patrice.

— Je le sais.

— Comment ça ?

— Quand je l'ai laissé, il arrêtait pas de me dire : « C'est ça ! Va rejoindre ton coach ! »

J'entrevois une porte ouverte, le même genre de porte que j'ai essayé d'ouvrir plusieurs fois chez Florence, l'autre soir, un soir qui me semble à des années-lumière d'aujourd'hui.

— Ben tu sais que ses soupçons étaient pas basés sur rien. Comme l'autre jour, quand vous avez toutes été absentes.

— Voyons ! On n'a pas raté des cours pour aller se bécoter avec Patrice, franchement !

— Pourquoi, alors ?

— Je l'ai dit au chalet. Patrice est un domina-teur. De nous voir aux séances d'entraînement, c'était pas assez. Il se servait de son pouvoir et du fait qu'on est dans le programme sport-études pour arranger de petites rencontres individuelles avec nous, le genre de rencontre où tu dois rendre des comptes : qui tu fréquentes, avec qui tu sors, ce que tu manges, combien d'heures du dors, combien tu pèses…

— Tu as décidé que c'était fini, tout ça ? C'est pour ça que tu as mis ton plan à exécution ?

L'émotion m'obstrue la gorge. Je repense à l'horreur sur le visage de Johanne. La culpabilité ronge celui de Florence. Elle se justifie :

— Je pensais pas qu'il allait y avoir une enquête. Je pensais pas qu'on allait être portées disparues. Je pense que j'ai pas ben ben pensé.

— Mais pourquoi tu… C'était quoi, le but ?

— Je voulais juste donner une leçon à Patrice. Non. En fait, je voulais me venger. Me venger de ce qu'il nous fait subir depuis le début de l'année, lui faire comprendre qu'on n'a pas besoin de lui, qu'on n'est pas les petites groupies qu'il pense qu'on est, des petites fifilles qui ont besoin de son approbation pour agir. Je voulais que les filles arrêtent d'éprouver l'espèce de mélange d'admiration et de peur devant lui… Les filles incluant moi.

— Vous pouviez pas lui faire comprendre ça plus facilement ? Genre à l'école, pendant une séance d'entraînement ?

— Maudine ! J'y avais pas pensé ! dit-elle en imitant la voix nasillarde de Jessifée.

J'éclate de rire. Flore reprend :

— J'ai essayé plusieurs fois, mais Patrice écoutait rien. Il se défilait toujours. Je te le dis, c'est un dominateur fini ! Je voulais qu'il ait pas le choix de nous écouter, qu'il voie qu'on était sérieuses et qu'il se sente dominé, pour une fois, qu'il comprenne comment, nous, on se sent toute l'année.

Il y a un gros éléphant dans la pièce. Un éléphant qui prend plus de place que tous les appareils de mamie nous empêche de nous regarder en face. Je prends mon courage à dix-huit mains, le soulève, en fais une grosse boule énergétique et attaque d'une toute petite voix :

— Mais toi, Flore, j'aurais jamais pensé que t'étais… que tu… Merde ! Florence, pourquoi tu m'as jamais dit ça ?

— Je sais pas. Pour pas te décevoir, je suppose.

— Mais là ! Je suis pas tes parents !

— Je sais, je m'excuse. Je pense que je vais pas très bien !

L'émotion déborde de ses yeux. Question d'éviter une scène larmoyante que je n'ai pas l'énergie d'essuyer, j'enchaîne :

— Pis là, il va se passer quoi ? Tu vas avoir une méchante montagne de graines sur le comptoir à ramasser !

— Pas tant que ça. Mes parents étaient tellement contents de me retrouver vivante et tellement convaincus que tout est de leur faute que je me suis même pas fait engueuler. Bon ! Ma mère a mis un cadenas sur le garde-manger et elle s'est transformée en police alimentaire, mais ça devrait faire un temps.

— Mais toi, comment tu vas te sortir de ça ?

— J'en sais rien. Au jour le jour ! Le fait que ça se sache, peut-être que ça va me guérir du coup. Sinon, on peut obtenir de l'aide. Je parle pas de Gargamel, là !

Rire plus que commun, complice.

— Et aux deux épais, qu'est-ce qu'il va leur arriver ?

— Patrice et Gargamel ont pas porté plainte contre les joueuses. Ils sont pas dans une position pour le faire, faut dire. C'est plutôt l'école qui a porté plainte contre eux. Malgré que, selon moi, la directrice n'est pas en très bonne posture non plus, vu son léger oubli de vérifier les antécédents de ses employés. En plus, ce que ton prétendu père m'a dit, c'est que les policiers ont découvert autre chose. Quand ils sont allés interroger les parents de la mineure, en Beauce, ils ont fini par apprendre qu'ils avaient pas porté plainte contre Patrice, même si leur fille avait quatorze ans. Tu te rends compte ? Il a couché avec une fille de quatorze ans ! Tu sais pourquoi c'est mort dans l'œuf ? Parce que Gargamel, qui était le psychologue de la fille en question, détenait des informations confidentielles sur la famille. Il s'est livré au chantage pour tirer son meilleur ami Patrice de la fosse septique !

— Ça explique pourquoi Patrice lui en devait une, dis-je pour moi-même. J'imagine que c'est à ce moment-là qu'il s'est fait suspendre de l'Ordre ?

— Mais non, Cendrine, y a pas eu de plainte ! Mais ça te donne une petite idée de ce dont Gargamel est capable !

— Beau duo de salauds ! Dans le fond, ta mauvaise idée de l'année aura servi à quelque chose. L'école va faire un beau ménage, j'imagine.

— Mets-en !

Florence éclate d'un grand rire sincère.

— Quoi ?

— Imagine… imagine que… la… direc… Ha, ha, ha !

Elle ne peut s'arrêter de rire. Si elle était Camille avec un gros café, je m'attendrais à ce qu'elle fasse pipi dans son jeans.

Juste comme je pense à Camille, elle apparaît dans le cadre de la porte avec un cadeau bon marché visiblement acheté en vitesse à la boutique de l'hôpital. Elle a dû profiter de son petit voyage en ascenseur pour mettre tous les efforts possibles à troquer son sourire niaiseux d'amoureuse transie contre une mine grave de circonstance. En apercevant les postillons de Florence qui volent un peu partout, son air d'enterrement se transforme en un sourire curieux.

— J'ai raté une bonne blague ?

— Ça a l'air, dis-je, ne pouvant me retenir à mon tour de m'esclaffer.

— C'est quoi ?

— Je… ah ah… sais pas ! réponds-je en crachant quelques pépites de chocolat.

— Bon, je suis encore pas incluse dans vos histoires, dit-elle sur un ton accusateur qu'on connaît bien.

Florence essaie de parler à travers les spasmes qui contractent son visage, mais tout ce qui sort de sa bouche, ce sont des mots décousus comme « directrice », « extraterrestre » et « télé ». Je devine qu'elle parle de la directrice de l'école. Elle doit essayer de l'imaginer en train de faire une déclaration aux médias concernant le pétrin dans lequel son manque de rigueur professionnelle l'a mise.

Je suis presque triste pour elle et son école chérie. Mais j'avoue que ça me fait sourire aussi.

Au moment où même Camille se met à rire de bon cœur, mon père et Jean-Maurice font leur entrée dans la chambre à quelques secondes d'intervalle. Un petit malaise commence à flotter dans l'air. Pour éviter d'avoir à saluer Jean-Maurice, mon père vient tout de suite me prendre dans ses bras, heureux de me voir plus gaie que dans les derniers jours. Il est vrai que j'ai passé deux nuits et une journée complètes à côté de mamie, à l'affût des nouvelles des médecins, noyée dans une inquiétude et une tristesse épuisantes. Jean-Maurice, quant à lui, semble désapprouver notre démonstration impudique de bonne humeur devant celle qu'il n'a pas cessé d'appeler une mourante. On repassera pour le tact! Rapport au tact, justement, il fait présentement de gros yeux à Florence, qui trouve une excuse pour quitter la chambre en me faisant signe de lui téléphoner. Comme d'habitude, Camille ne sait pas où se mettre, mais comme elle n'a pas sa tablette à dessin, elle choisit mon muffin. Le silence s'installe lourdement autour du ronronnement des machines qui font bip! bip! et gloup! gloup!

Il me semble que c'est ce moment-là que devrait choisir ma grand-mère pour se réveiller. Elle ouvrirait les yeux et me ferait un sourire grand-maternel qui dissiperait toutes mes inquiétudes. Elle me prendrait dans ses bras et me demanderait d'aller chercher les cartes. Je les brasserais pour elle, je les passerais presque aussi vite qu'elle, je ne tricherais même pas en jouant à la dame de pique.

Mais non. Il ne se passe rien. Rien que mes yeux qui supplient l'enchevêtrement de fils qui emprisonnent mamie. Tout le monde se tait, par respect ou par malaise. Après de longues minutes, Jean-Maurice n'en peut plus du silence qui s'épaissit à vue d'œil et il tente une parole réconfortante à mon endroit, sur le ton qu'adopterait un policier pour annoncer à des parents que leur enfant a été retrouvé mort dans un fossé.

— Tu sais, tu peux lui parler ! Je suis sûr qu'elle t'entend.

Mon père et moi lui décochons illico un regard qu'il n'est pas près d'oublier. Triple malaise. Petit Poulet se défend tout de suite.

— C'est vrai ! Il paraît que les comateux entendent tout ce qui se passe. Ils ont pas mal plus de contact avec la réalité qu'on pense.

Ma mère, qui fait son entrée à cet instant précis et qui a entendu la dernière phrase, s'empresse d'intervenir.

— Petit Poulet, tu te souviens que…

— Dis-le-leur, toi, Pouliche, coupe Jean-Maurice. Tu l'as vu, toi aussi, le reportage à ton programme, là… c'est quoi, donc, le nom du programme, là ?

J'ai comme une envie malsaine de le laisser s'enfoncer, juste pour le plaisir, mais puisque la fumée sort par les oreilles de mon père, je mets fin à ce malentendu.

— Elle peut pas m'entendre, Jean-Maurice, elle pourra jamais m'entendre, mamie !

— C'est ça, les séquelles de son coma? C'est le médecin qui vous a dit ça? Les maudits médecins, ils disent n'importe quoi! Par exemple, l'autre jour, à propos de mon beau-frère…

— Elle est sourde, ma belle-mère! coupe ma mère.

— Ta belle-mère? Quelle belle-mère, mon amour?

— Ben, elle! répond ma mère en pointant mamie.

— C'est pas ta belle-mère, c'est ton ex-belle-mère!

— Laisse faire les détails, là! Tu vois ben que tu rends Cendrine triste, avec tes histoires!

— Ben, là, c'est pas un détail. T'es plus avec lui.

Mouvement dédaigneux du menton vers mon père. Il s'emporte de plus belle.

— C'est pas compliqué, c'est plus ta belle-mère! Pis depuis quand elle est sourde?

— Depuis sa naissance! intervient mon père, qui fulmine et que je soupçonne de prendre plaisir à crier après le nouveau chum de son ex.

— Ah! Ça explique pourquoi elle me répondait pas, des fois, quand je la saluais dans les escaliers.

Bravo, Sherlock! Comme s'il n'y avait pas assez d'un clown dans la pièce, c'est à ce moment qu'une voix désagréable se fait entendre:

— Salut tout le monde! s'exclame Jessifée.

— Ah! T'es là, toi, lui dit ma mère comme si elle la connaissait depuis toujours. Cendrine, je t'ai fait une surprise, j'ai invité ta bonne amie Jessica, ta sauveuse!

— C'est Jessifée, mon nom, madame Senterre.

— Elle s'appelle plus madame Senterre depuis le divorce, en passant, ne peut s'empêcher de commenter Jean-Maurice.

— Jessifée? Je pensais que c'était ton surnom à cause de ton maquillage de fée, s'étonne ma mère en faisait un geste vague qui englobe la tonne de brillants qui parsèment le visage de Jessifée.

Camille se roule par terre. Discrètement, tout de même. Je la vois qui scrute la chambre à la recherche de crayons et de papier pour immortaliser cette scène improbable.

— Quel maquillage de fée? demande candidement Jessifée.

— Ben, le maquillage que tu portes là. Je peux te donner un rendez-vous à la clinique si tu veux; je te dois ben ça!

— Est-ce qu'il serait possible de baisser le ton? s'interpose le médecin de ma grand-mère, juste à temps pour éviter un conflit esthétique entre ma mère et Jessifée. Y a des patients qui tentent de se reposer, ici! Et, en passant, c'est deux visiteurs à la fois; je vais demander à quatre d'entre vous de sortir.

Camille en profite pour rentrer à la maison, pendant que j'entraîne Jessifée et Jean-Maurice dans le corridor, au grand désarroi de ce dernier. Comme si mes parents allaient choisir ce moment pour revenir ensemble! Voyons donc! Mes parents pourraient-ils revenir ensemble? J'ai comme un doute à ce sujet.

— Tu t'inquiétais pour ma grand-mère, que je demande à Jessifée ironiquement.

— Euh… un peu, oui, mais c'est surtout que…

— Comme tu vois, elle est dans le coma. On sait pas quand elle va se réveiller.

— Ah ben oui ! C'est plate hein ? Euh, mes compathies.

— Elle est pas morte, là, tu peux garder tes compathies pour toi, dis-je en mimant des guillemets, ce que Jessifée prend probablement pour un tic nerveux.

— Je voulais pas dire que… c'est pas que j'essaie de… je sais qu'elle va pas mourir, elle va sûrement être comme une neuve demain ! m'encourage-t-elle.

— Elle va sûrement être en fauteuil roulant, réponds-je sèchement, et le médecin a dit qu'elle aurait probablement des troubles cognitifs. Ça, c'est sans compter qu'elle peut aussi être amnésique.

— C'est pas si pire que ça, des troubles cognitifs ! Mon grand-père aussi, il se cogne partout depuis qu'il est vieux.

Jean-Maurice s'esclaffe.

— Elle est ben bonne ! C'est un petit clown, ton amie, Cendrine !

Devant l'air poissonneux de Jessifée qui cherche encore qui a fait une blague, Jean-Maurice commence enfin à comprendre pourquoi je m'oppose chaque fois que lui et ma mère utilisent le terme « amie » pour désigner celle qu'ils appellent aussi ma sauveuse. Néanmoins, il me faut bien admettre que c'est elle qui, déjouant miraculeusement mon plan, a averti ma mère et la police de l'endroit où se trouvaient les Girafes.

Depuis, son interview avec les journalistes passe en boucle à la télévision et, en deux jours, sa fausse poitrine ainsi que ses cheveux ont doublé de volume. On n'en a pas fini avec les vantardises de Jessifée.

— Bon, je vais aller me chercher un café en bas, moi, prétexte Jean-Maurice pour ne pas avoir à expliquer sa propre blague à ma sauveuse. Oublie pas, Cendrine, faut qu'on se reparle de cette histoire de iPhone volé.

Annabelle! J'avais presque oublié que, avant de recevoir l'appel de l'inspecteur Chamberland qui nous annonçait la disparition des filles, Petit Poulet et moi nous apprêtions à discuter de mes doutes concernant la récente métamorphose d'Annabelle.

— Quoi! Tu t'es fait voler mon iPhone? hurle Jessifée, déjà aussi foncée que son rouge à lèvres qui n'est plus Saumon du Pacifique, mais Grappe de raisin d'Italie.

Oups. Le iPhone de Jessifée. Je ne l'ai pas vu depuis que j'ai tenté de l'utiliser, au chalet.

— Ben non!

— Ben donne-le-moi tout de suite, c'est pour ça que je suis venue. Je peux pas croire que j'ai passé deux jours sans lui. J'ai dû manquer au moins soixante-quinze textos et plein d'appels à cause de toi.

Des textos de qui, son faux chum? Je retiens cette réplique assassine. Après tout, il est vrai que Jessifée est ma sauveuse. Sans elle, j'aurais marché des heures avec mon pantalon plein de boue, pendant que mon front fendu s'infectait. Et qui sait comment se serait terminée l'engueulade entre Gargamel et les Girafes ? Je fais un effort surhumain pour dire :

— Merci.

— Ouin. Avoir su que j'aurais pas mon téléphone pendant deux jours, je t'aurais dit non !

— Non, je veux dire merci d'être allée me dénoncer à ma mère.

— De rien. Tu sais comment je suis ! La queue sur la main.

Un infirmier dont nous avons attiré l'attention, sans doute en raison du maquillage de Jessifée, ne peut retenir son sourire devant la perversion de l'expression bien connue. Mais, lorsqu'il voit que Jessifée est très sérieuse, il n'a d'autre choix que d'aller cacher son fou rire dans la chambre voisine de celle de mamie.

— Envouèye, me chuchote Jessifée, donne-moi mon cell tout de suite ! J'en ai besoin là, là !

— Pourquoi ? T'as même pas le droit de l'utiliser dans l'hôpital !

— C'est pour aller prendre le numéro de l'infirmier vraiment sexy qui arrête pas de me sourire depuis tantôt ! Il a dû me voir à la télé.

J'abandonne. Jessifée ne changera jamais. C'est peut-être mieux ainsi.

— Je sais pas il est où, ton cell, que j'avance doucement. Il est peut-être par terre au chalet ou bien dans le fossé où vous m'avez ramassée. Je suis désolée.

— Ça m'apprendra à toujours vouloir aider les autres, aussi ! Qu'est-ce que je vais faire, moi, hein ? Tu vas m'en payer un autre, Cendrine Senterre !

J'ai envie de lui dire qu'elle pourrait en demander un à Annabelle. Elle doit les vendre pas trop cher. Jean-Maurice semble avoir insinué qu'il s'agissait d'un téléphone volé. Je m'apprête à négocier quelque chose quand la voix de mon père retentit :

— Cendrine ! Mamie a bougé !

Je vous jure que si elle s'en sort indemne, je me fais épiler les sourcils.

ÉPILOGUE

Je suis cachée dans ma cabane. Enfin, quand je dis «cabane», j'exagère. Il s'agit plutôt des restes de la cabane que le père de Florence nous a construite quand nous avions six ou sept ans; elle ne ressemble même pas tant à une cabane, vu qu'elle a juste trois murs. Je regarde le soleil se coucher sur le lac entre deux bouleaux. Plus loin, près du chalet des Grandmaison, dans l'insouciance, indifférents au coucher du soleil, les autres font le party. Oui oui, vous avez bien lu, il y a «chalet des Grandmaison» et «party» dans la même phrase. Et je ne rêve même pas. C'est que, cette année, coup de théâtre, le party de fin d'année a lieu au chalet de Florence et non chez Jolianne comme à l'habitude.

Après les événements de mai, pour m'en tenir à la façon dont les parents de Florence font désormais référence à l'idée du siècle de leur fille et à la mise au jour de ses problèmes alimentaires, Johanne a convaincu Armand que leur aînée a besoin, dans un premier temps, de lâcher son fou et, dans un deuxième temps, d'obtenir leur confiance. C'est ainsi qu'ils ont subitement changé leur fusil d'épaule et qu'ils sont passés du côté des parents qui préfèrent que ça se passe sous leur toit. Enfin, toit, il faut le dire vite, puisqu'on n'a même pas le droit d'entrer dans le chalet, sauf pour une envie pressante qui ne se soulage pas dans la nature. Il n'y a que moi et Florence qui avons la permission d'y aller. Et d'y dormir. Les autres devront crécher dans les tentes qui sont plantées, que dis-je, échouées çà et là autour du chalet.

Je devrais sûrement faire comme tout le monde et participer aux festivités, mais je n'ai pas vraiment le cœur à la fête. Je vous l'ai déjà dit, l'été m'angoisse. Contrairement à mes consœurs qui sortent de l'école en courant, prêtes à faire un feu de camp avec tous leurs cartables, ce qu'elles font sans doute présentement, moi, quand l'été se pointe, j'entre dans une espèce de mélancolie. J'ai le vertige devant le vide qui s'étend à mes pieds, une peur bleue de m'emmerder seule à la maison et de disparaître de l'univers. Car, c'est bien connu, quand personne ne vous regarde, vous disparaissez.

J'ai donc décidé de disparaître de mon propre gré, question de m'habituer tout de suite. Bon. Je dois avouer que la raison première de ma désertion du party s'appelle, je vous le donne en mille, Jessifée. Évidemment, Jessifée a saisi l'occasion de se servir du party pour faire son autopromotion, comme si tout le monde n'avait pas entendu cinquante mille fois son histoire. Pfff! Et ce n'est même pas son histoire, c'est celle des Girafes, et un peu la mienne, quand même. Chaque fois qu'un gars de Saint-Augustin passe dans un rayon d'un kilomètre, Jessifée m'attrape par le bras et se rue sur le nouveau venu pour lui raconter comment, après m'avoir laissée sur le bord du chemin, elle a eu des soupçons, fait sa petite enquête, prévenu les autorités et blablabla. Elle ne dit pas, bien sûr, que son enquête s'est résumée à aller voir sur la page Facebook de Florence pour constater ce que tout le monde sait, soit que sa famille possède un chalet à Saint-Émilien-de-la-Belle-Rivière. Tout ce à quoi je sers, là-dedans, c'est à hocher la tête toutes les deux secondes, quand Jessifée dit :

— Hein, Cendrine?

En plus, son rôle dans cette histoire gonfle en importance à chaque nouvelle personne à qui elle la raconte.

Je me suis donc exilée dans ma cabane pour m'éviter ce calvaire. Mais je suis réaliste. C'est une question de minutes avant que ma cachette secrète soit découverte et qu'elle se transforme en chambre aux amoureux. Camille et Victor, qui filent toujours le parfait bonheur, seront probablement les premiers à l'utiliser. Est-ce que j'ai dit que je suis de plus en plus convaincue que je n'aurai jamais de chum?

Je mentirais si je prétendais que je ne broie pas un peu de noir. Parce que, en plus, il y a mamie. Mon père est en ce moment même à la recherche d'un endroit où la placer, comme il le dit si bien. Comme s'il s'agissait d'un objet! Où je placerais bien ma mère? Ici, sur l'étagère? Non, trop poussiéreux. À côté de la litière du chat? Non, trop puant. Et si je l'envoyais dans un mouroir? Bonne idée!

Mais je sais que nous n'avons pas le choix. Même si j'ai fait mon possible pour venir l'aider chaque jour depuis son retour à la maison, il faut se rendre à l'évidence, je ne suis pas infirmière, mamie a des besoins spécifiques et son appartement n'est pas adapté à son nouveau meilleur ami, son fauteuil roulant.

Mis à part ce léger – ! – inconvénient, son accident lui a laissé quelques autres séquelles. Quand elle m'a vue auprès d'elle à son réveil, elle ne m'a pas reconnue. Elle m'a scrutée avec curiosité, comme si j'étais une étrangère. J'ai eu envie de mourir. Après avoir observé ma chevelure carotte pendant quelques secondes, elle a écarquillé les yeux et a ouvert grand la bouche. Elle a agrippé mon père comme si j'étais une menace et elle a fait la lettre «c». «C» pour *Cendrine*. Mon père a hoché la tête. Des larmes sont apparues au coin de ses yeux et elle a dit, en langage des signes:

— *Je ne comprends pas! Cendrine a quatre ans.*

C'est là que nous avons compris trois choses.

Premièrement, sa mémoire avait été touchée par l'accident. Mais comme de toute façon ma grand-mère était accrochée dans le passé et qu'à ses yeux j'aurai éternellement quatre ans, on ne craignait pas vraiment que cela change son quotidien.

En second lieu, comme elle maîtrisait toujours parfaitement le langage des signes, nous étions plutôt rassurés quant à d'éventuelles déficiences cognitives, même si, au début, elle cognait son fauteuil roulant un peu partout, un détail que j'ai bien sûr caché religieusement à Jessifée.

Enfin, elle avait perdu l'usage de la parole. Sa voix de sourde et presque muette était devenue vraiment muette. On peut cependant dire qu'elle est chanceuse dans sa malchance. Comme elle connaît déjà le langage des signes, il est facile pour elle de communiquer avec ses proches, enfin, avec ceux qui connaissent ce langage.

La première de ces constatations, par ailleurs, a été passablement invalidée peu à peu, puisque sa mémoire est revenue graduellement.

Conclusion : non, je ne me suis pas fait épiler les sourcils. Ma grand-mère a beau avoir le moral, elle ne s'en est pas sortie indemne.

Tout à coup, j'entends le cri d'un huard, un huard qui semble avoir mal à la gorge. Le problème, c'est que le cri ne vient pas du lac, mais de la forêt. Je connais ce huard, même si je ne l'ai pas entendu depuis longtemps. Je réponds par le cri de la corneille, une corneille un peu déprimée, tout de même. J'entends des branches qui craquent, et les pas de quelqu'un qui marche prudemment, puis qui court et qui se plante devant moi en criant :

— Ah, ah ! Je le savais que t'étais là ! C'est quoi, là ? T'es en train de réciter la *Promesse* sans moi ?

Oh ! La *Promesse*. Il y a très longtemps que nous en avons parlé. Quand nous étions plus jeunes, chaque année à la même date, Florence et moi récitions un petit texte que nous avions écrit à sept ans, dans lequel nous nous promettions de rester les meilleures amies pour toujours. C'est quétaine, je le sais. Mais nous y tenions. Nous étions très solennelles, avec nos petits bracelets de meilleures amies devant le coucher du soleil. Et puis, je ne sais pas, nous avons sauté une année. Puis deux. Puis la *Promesse* s'est perdue quelque part sur le chemin de l'adolescence. Elle est morte d'anorexie, tiens.

— Oui, c'est ça, Flore. J'attends Jessifée. J'ai décidé de réciter la *Promesse* avec elle.

— En parlant de la fée, elle te cherche partout depuis tantôt.

— Je le sais ! Pourquoi tu penses que je suis ici ?

Florence rit et vient s'asseoir à côté de moi. En silence, nous regardons les dernières lueurs rougeâtres plonger dans le lac. J'ai l'impression qu'elle va me sortir la *Promesse* de ses poches. Mais non. Elle n'a même pas de poches. Elle porte une robe bain-de-soleil. Les événements de mai ont eu au moins ça de bon, j'ai presque retrouvé ma meilleure amie. Je dis « presque », parce qu'on ne peut pas dire que ce soit le festival des confidences entre elle et moi. Elle n'est pas très bavarde concernant l'évolution de sa… maladie, n'ayons pas peur des mots. Mais, pour le reste, c'est presque comme avant, juste presque. En effet, Florence est différente. Je ne sais pas exactement comment l'expliquer, mais on dirait qu'elle n'arrive plus à être elle-même. Ou est-ce plutôt le contraire ? Elle était si habituée à être la plus grande, la plus forte, la meilleure et la plus équilibrée que, maintenant qu'elle est démasquée, elle ne sait plus comment agir. On dirait une Florence vidée de son jus. Une Florence sans consistance. Cela dit, je ne sais pas où je vais pêcher mes images douteuses concernant mon amie.

Le bon côté, c'est que cette Florence en Jello est plus flexible. Moins rigide. OK, je l'avoue, elle a plus de temps pour moi.

Une des raisons de ce surplus de temps, c'est que la directrice, pour punir les Girafes de leur grosse connerie et surtout parce qu'elle n'a trouvé personne pour remplacer Patrice, a décrété la dissolution de l'équipe. Juste avant les finales ! Mais, pour être honnête, je doute que les filles aient eu des chances de remporter la victoire, vu leur dégradation physique et l'ambiance de mort qui régnait parmi elles à la fin. De toute façon, après les événements de mai, la moitié des parents des Girafes ont retiré leur bébé chéri de la formation. Certains sont même allés jusqu'à retirer leur fille de l'école, vu sa propension à engager de cruels incompétents irresponsables.

Pauvre, pauvre directrice ! Ce n'est pas cette histoire qui a moussé la popularité de son établissement ! Elle ne sait plus où donner de la tête pour mettre sur pied une campagne de publicité aguichante. Vous voulez connaître la meilleure ? Jessifée s'est proposée pour en être la tête d'affiche ! Comme elle le dit si bien :

— Puisque les médias me connaissent bien, maintenant, je suis la meilleure personne pour rehausser l'image de l'école.

Pauvre, pauvre directrice ! Elle a bien sûr refusé, probablement par peur d'un autre scandale. Elle ne veut pas qu'on croie que toutes les jeunes filles de son école ont des seins de star porno et un français qui laisse à désirer. Sacrée Jessifée ! S'il y a quelqu'un qui n'a pas changé au cours de cette histoire, c'est bien elle, même si elle croit le contraire dur comme fer.

— Je suis devenue tellement populaire que j'ai décidé de cesser de prendre l'autobus, question d'avoir la paix ! ne dit-elle pas ?

Pour ce qui est d'Annabelle... Si Jessifée me court après depuis le début de la soirée, Annabelle, pour sa part, a décidé d'ignorer mon existence jusqu'à la fin des temps. Je me demande même pourquoi elle est venue, puisqu'elle refuse d'adresser la parole à toute personne qui a, de près ou de loin, un lien avec moi.

Quand elle a appris que l'inspecteur qui lui a rendu visite était mon beau-père, elle a tout de suite fait le lien. Je lui avais dit, aussi, à Jean-Maurice, d'envoyer quelqu'un d'autre !

— Je serai très discret, ne t'en fais pas, Cendrine.

Mon œil ! Il a dû subtilement lui dire quelque chose comme : « D'après mon informatrice anonyme qui est assise à côté de toi dans le cours d'anglais... » Tu parles. Petit Poulet m'a expliqué que son téléphone avait effectivement été volé par un réseau de gars louches dont fait partie son frère, qui s'est fait arrêter. On soupçonnait même Annabelle d'être une revendeuse de téléphones, mais comme on n'avait pas assez de preuves et qu'elle est mineure, on s'est plutôt rabattu sur son frère. Je ne sais pas quel sort lui est réservé, mais il est maintenant évident qu'elle me déteste.

Le plus drôle, c'est que je n'ai pas l'impression qu'elle m'en veut parce qu'elle a perdu son précieux joujou et que son frère est dans la merde. J'ai le net sentiment que c'est parce que j'en sais maintenant trop sur elle. Déjà qu'elle était en furie d'apprendre que je sais où elle habite… Au moins, je suis soulagée qu'elle ne soit pas au centre d'une histoire de prostitution. Ça y est, j'ai osé prononcer le mot. Enfin, comment en être complètement sûre ? Annabelle est un mystère total. Afin de préserver ce mystère, elle changera d'école l'an prochain, question d'aller jouer les énigmatiques auprès d'un autre groupe d'amis, jusqu'à ce qu'on en sache trop sur elle.

Le soleil est maintenant invisible. Au-dessus du lac, le ciel prend des teintes de bleu et de vert. Des branches craquent tout près de nous.

— Flore ? T'es là ?

C'est Tristan. Lui aussi, bien sûr, connaît l'existence de notre cachette secrète. Depuis quelques semaines, les deux n'en finissent plus de remettre les pendules à l'heure. Quand il a appris qu'elle ne le trompait pas avec Patrice, il a été soulagé. Quand, quelques secondes plus tard, elle lui a avoué que Patrice était tout de même à la source de leur rupture, il s'est remis à lui en vouloir à mort. Moi, je pense que, d'ici la fin du party, il devrait être tout à fait défâché.

— Oui oui, j'arrive ! lui crie Florence. Bon, faut que j'aille encore mettre les points sur les « i », les barres sur les « t » pis les apostrophes après les « j » avec Tristan, me chuchote-t-elle.

— Bonne chance ! que je dis.

— Toi aussi ! me réplique-t-elle malicieusement.

— Pourquoi j'aurais besoin de chance ? que je demande prudemment, pressentant déjà la réponse.

— Parce qu'Édouard vient d'adresser un texto à Victor ; il est en route. Bonne soirée !

Son ton chargé de sous-entendus. Hé merde ! Moi qui n'espérais plus sa présence ! J'en étais arrivée à la conclusion que c'était beaucoup mieux comme ça. Ça m'aurait évité de faire une crise cardiaque ou de m'humilier en public. Qu'est-ce que je fais ? Je reste embusquée ici jusqu'à la fin du party ? C'est une très mauvaise idée, puisque je sais très bien que, dans quelques minutes, on n'y verra plus rien et que je me casserai très certainement la jambe en tentant de retourner au chalet. Ou pire, je me perdrai pour toujours dans les bois. Si je veux partir d'ici saine et sauve, je dois le faire tout de suite.

En m'orientant sur les éclats de voix joyeux qui fusent autour du chalet, je m'y rends sans trébucher, sans marcher sur une planche d'où sortent des clous rouillés, sans attraper le tétanos. Je m'améliore. Je réalise qu'il fait vraiment plus frais, une fois le soleil disparu. Voici mon plan :

j'entre me changer, je m'installe avec les autres autour du feu, je fais mon possible pour avoir du plaisir, et advienne que pourra avec Édouard. Mais c'est décidé, ce ne sera pas moi qui ferai les premiers pas.

Pendant que je suis en train d'enfiler mon jeans, j'entends une voiture qui entre dans la cour. En sautant sur une jambe, une moitié de fesse à l'air, je me rue vers la fenêtre. Mon cœur fait un bond démesuré. C'est lui. Lui ! Ça y est, je fais de l'arythmie cardiaque. Ce chalet finira par avoir ma peau. Pendant que je reste debout comme une dinde devant la fenêtre à me battre avec mon pantalon, je le vois s'approcher de la maison. Pourquoi ne va-t-il pas directement au feu ? Pourquoi ? Pourquoi, hein ? Ça y est, il est trop tard. Même si mon cerveau me hurle : « Sors par la porte de derrière ! » me voilà en train de me diriger vers l'avant du chalet, prête à lui ouvrir la porte, à moitié nue. Juste avant qu'il ne m'aperçoive, il se retourne et s'adresse au vieillard qui l'a conduit jusqu'ici, resté au volant de la voiture. Après avoir mis ses mains près de l'oreille comme s'il s'agissait d'un oreiller, Édouard fait des mouvements circulaires, les paumes vers le ciel.

— *Je couche ici.*

Le vieillard met la main sur la bouche et la recouvre de son autre main.

— *Bonne nuit !*

Je suis bouche bée. J'ai le même sourire niaiseux que Camille, là, toute seule, devant la porte fermée du chalet. Le sentiment que tout est possible, tout à coup. Allez, Cendrine, fais une femme de toi et ouvre la porte. Allez, fais une femme de toi. Et vous savez quoi ? Ça fonctionne. Ce que je veux dire, c'est que c'est justement ce moment-là que mon corps choisit pour faire une femme de moi, selon l'expression de ma mère. Merde ! Au moins, je sais que mon vocabulaire de LSQ n'est pas assez étendu pour que je mette les pieds dans les plats.

REMERCIEMENTS

J'aimerais tout d'abord remercier les Éditions Michel Quintin de me faire confiance dans cette nouvelle aventure. Merci à Antoine, mon premier lecteur, pour le soutien moral, la confiance et surtout l'amour. Merci à mes enfants d'avoir été de bons bébés et de m'avoir ainsi laissé le temps d'écrire. Un merci spécial à Audrey et à Mireille, mes lectrices et critiques, pour leurs encouragements, ainsi qu'à Laurence et à Rosalie, mes lectrices cibles, pour leurs précieux conseils. Finalement, un immense merci à ma gang de filles, mon inspiration !

TABLE DES MATIÈRES